관상을 통해서 직장상사를 분석해 볼까요?

직장상사 관상 훔쳐보기

지은이 찹쌀떡

차례

머리말

관상은 미신인가?

 저 역시 관상은 가벼운 미신 정도로 치부하고 살아왔습니다. 과거 군 복무를 교도소에서 하게 되었는데 교도소에서 근무하던 중 재소자들의 얼굴을 유심히 보게 될 기회가 생겼고 문득 이 사람들은 머리에 뿔이 달리거나 손에 날카로운 발톱이 달린 괴물도 아닌데 왜 죄를 짓고 이곳에 들어오게 되었을까 하는 단순한 호기심에서 시작된 관상과의 인연이 지금까지 이어지게 되었습니다. 교도소를 거쳐 장례식장에서 장례지도사로 일하며 수많은 유족과 고인들을 관상을 보고 경험하며 관상이란 미신 따위로만 치부할 만한 게 아니란 것을 확신했고 이렇게 책까지 출판하게 되었습니다.

 우리는 배운 적 없는 관상학을 본능적으로 배우고 사용하며 살아가고 있습니다. 우리는 많은 사람을 만나고 경험하며 그 사람들과 있었던 일들을 그 사람들의 생김새나 인상, 분위기와 연결시켜 자연스럽게 정보를 수집하게 됩니다. "이렇게 생긴 사람은 보통 이렇더라" 라며 나도 모르게 관상을 서서히 익히게 되는 것입니다.

 관상은 통계학에 가깝습니다. 100퍼센트 절대적인 것은 아닙니다. 이런 생김새의 사람은 대체로 이런 특징이 있더라 생각하시면 좋을 거 같습니다. 사람의 관상은 행동거지와 마음가짐에 따라 평생에 걸쳐서 변합니다.

항상 긍정적인 사고와 웃는 얼굴이 좋은 관상의 지름길입니다.

관상의 장점이라면 MBTI나 사주팔자같이 직접 물어보고 정보를 얻어야 하는 수고로움이 없습니다. 오고 가며 슬쩍슬쩍 본 얼굴만으로도 충분한 정보를 은밀하게 얻을 수 있습니다. 직장 상사는 나이와 직급을 불문하고 모든 면에서 한없이 어려운 상대이죠.

직장 상사의 관상을 분석하여 해당 관상을 가진 사람들은 대체로 어떠한 성격을 가졌는지를 미리 파악하고 있는 것만으로도 직장 생활에 큰 도움이 될 거라 믿습니다.

아주 먼 과거부터 사람의 생김새를 통해 그 사람의 운세를 점쳐왔습니다. 전해져 내려온 기간이 기간인지라 관상이라는 역술이 굉장히 딱딱하고 어렵게 풀이되어 있습니다. 필자는 딱딱하고 어려운 관상을 직장 상사의 관상이라는 접근 방식과 함께 어려운 단어, 한자는 최대한 배제하였고 유머러스한 그림과 현대적인 해석을 통해 관상을 좀 더 쉽게 접근할 수 있도록 노력했습니다. 진입장벽을 최대한 낮춘 남녀노소 누구나 쉽고 재밌게 볼 수 있는 관상 관련 서적을 만들고자 책을 집필하였습니다.

가벼운 운세 정도로 재미 삼아 보시길 바라며 관상을 너무 맹신하진 마시길 당부드립니다.

제1장 관상의 이해

얼굴을 크게 삼등분하여 초년, 중년, 말년, 운세를 점칩니다.
머리끝부터 눈썹까지가 초년운 (1세~30세) 눈썹부터 코끝까지 중
년운 (31세~50세), 코끝부터 턱 끝까지를 (51세 이후) 말년운을 점
칩니다.

관상을 보고자 하는 사람의 과거부터 현재, 미래까지 원하는 시기
의 부위를 확인하고 운세를 점칠 수 있습니다. 여성의 경우 좌우를
반전해서 보시면 됩니다.

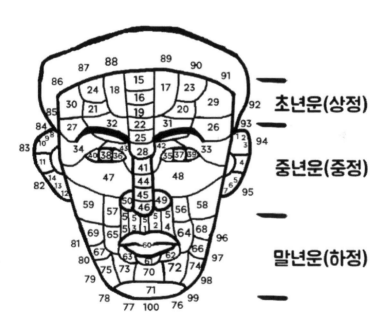

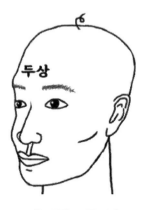

제2장 두상

　머리의 크기와 형태는 두뇌와 관련이 깊습니다. 그 때문에 두뇌와 관련이 깊은 지능, 운동신경, 성격 등의 운세를 점칠 수 있습니다. 머리는 몸과 비교해 크기가 적당히 균형 잡혀 있어야 합니다. 두상의 어느 한 곳도 안으로 함몰되거나 깎이는 듯한 경사가 없어야 하며 만일 그렇다면 그 두상은 흉하다 봅니다. 귀한 두상은 전체적으로 둥근 형태이며 원만하게 잘 발달한 두상을 좋다고 봅니다. 관상을 볼 때 얼굴만 보는 경우가 많은데 얼굴뿐만 아니라 두상까지 봐주는 게 좋습니다.

두상이 큰 관상

 타고나길 두뇌 회전이 좋고 책임감과 통솔력이 강해 크게 성공한 사업가들에게서 많이 보이는 두상이기도 합니다. 공상을 좋아해 엉뚱한 사람이 많아 주위 사람들을 재밌게 해주는 분위기 메이커가 많으며, 성격이 대범하고 고집이 세서 마음먹은 일은 반드시 해야 직성이 풀립니다. 이 때문에 크게 성공하거나 크게 말아먹는 경우가 많습니다. 학창 시절 머리만 떠다니는 거 같다는 소릴 들을 만큼 몸보다 머리가 크다면 하는 일마다 잘 풀리지 않고 **흉합니다.**

이런 외모를 가진 직장 상사는 유머 감각이 좋고 업무적으로도 뛰어난 모습을 보여줄 것이며 때에 따라서는 당신의 롤 모델이 될 정도로 보고 배울 점이 많은 사람일 수 있습니다. 직장에서나 사석에서 함께하기에 나쁘지 않은 사람이지만 어떤 목적을 가지고 무언가를 함께 해야 하는 상황이 된다면 골치 아플 수 있습니다. 성공에 대한 열망이 강해 폭군으로 돌변할 수 있기 때문이죠.

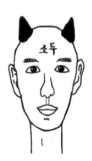

두상이 작은 관상

기본적으로 머리 쓰는 일이나 공부와는 거리가 먼 삶을 살아갈 확률이 있습니다. 우유부단하며 소심한 성격 때문에 남들과 경쟁하는 걸 싫어합니다. 철부지 같은 짓을 하고 돌아다녀 정신적으로나 물질적으로 안정적인 삶과는 거리가 있을 수 있습니다. 행동이나 생각이 무책임하여 무슨 일을 하든 요란하게 시작했다 끝맺음이 영 좋지 않습니다. 두상이 작으면 과거 관상에서 좋지 않다 해석되지만 현대적인 관점에서는 다르게 해석돼야 한다고 봅니다. 두상이 작으면 대부분은 얼굴도 작은 경우가 많죠. 미적으로는 요즘 추구하는 이상적인 외모에 가깝다 할 수 있어 아름다운 연예인들에게서 많이 보이는 두상이기도 합니다. 이런 관상은 운의 기복이 심해 불안정한 삶을 살아간다고 보는데 실제로도 불안정한 생활을 하는 연예인과 닮은 부분이기도 합니다.

이런 외모를 가진 직장 상사는 전체적으로 손이 많이 가는 타입입니다. 자신의 업무를 완벽하게 수행하지 못해 동료에게 피해를 주는 경우가 많을 수 있지만 나름대로 노력도 열심히 하고 사람은 착한 편입니다. 회사 안에서보다는 회사 밖 사적으로 친분을 쌓기 좋은 부류라 보는 게 좋을 것 같습니다.

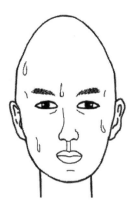

정수리가 볼록하게 높은 관상

　귀한 상에 속합니다. 머리가 좋고 인격적으로 성숙해 **훌륭한 인품**을 지닌 사람들이 많습니다. 이런 머리를 가진 사람 중 장수하는 사람이 많고 재물보다는 명예를 우선시하므로 신앙과 관련이 깊어 종교인에게서 많이 보이는 두상이기도 합니다.

　이런 외모를 가진 직장 상사는 답답해 보일 정도로 사람이 좋아 부하 직원들에게는 그저 빛과 같습니다. 업무적으로나 인격적으로나 모두 **훌륭**하여서 롤 모델로 삼아 따라도 좋습니다.

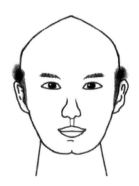

정수리가 심하게 뾰족한 관상

　기본적으로 건강운이 약합니다. 과거 두상이 뾰족하면 단명한다고 하였지만, 요즘처럼 의학이 발달한 세상에 단명이라니 시대상과 맞지 않다고 생각합니다. 건강에 신경 써라 정도로 해석하시면 좋겠습니다. 이런 상은 재물복이 부족해 돈을 잘 모으지는 못합니다. 하는 일마다 잘 풀리지 않을 수 있어 남들보다 많은 인내와 노력이 필요합니다. 인복이 약하여 도움이나 요행을 바라기 힘들며 자수성가해야 하는 운명입니다. 사람을 대하는 것이 서툴러 평생 고독할 수 있습니다.

　이런 외모를 가진 직장 상사는 함께 일하기에 무난한 사람입니다. 하는 일마다 잘 풀리지 않아 직장 내 평판이 부정적일 수 있으며 타인에게 무시당하는 모습을 자주 목격하게 되어 뭔가 안타까운 상황들이 발생할 수가 있겠습니다. 함께 무언가를 했다가 안 좋은 일로 같이 엮이기보다는 본인이 업무를 주도 하거나 피해를 최소화하기 위해 소극적으로 따르는 것을 추천해 드립니다.

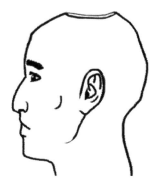

정수리가 심하게 꺼진 관상

이런 두상은 관상에서 매우 흉하다 해석됩니다. 정신적으로 불안정합니다. 과거 이런 두상을 가진 이는 태생적으로 건강이 좋지 않아 단명한다고 할 만큼 건강 운에 문제가 있다 보았습니다. 이 때문에 이런 두상을 가진 사람의 데이터가 많지 않고 별다른 정보가 없습니다. 유난스럽게 건강에 신경 써야 하는 관상이라 할 수 있겠습니다. 중국에 훌륭한 유학자인 공자가 이런 두상이었다고 하니 이런 두상을 가지고 태어났다 하여 너무 실망하시진 마시기 바랍니다. 정말 이런 두상은 태어나서 한번 볼까 말까 할 만큼 드뭅니다.

이런 외모를 가진 직장 상사는 비범한 사람임이 틀림없습니다. 정말 보기 드물어 미지의 존재와도 같으니 멀리서 흥미롭게 지켜보시는 걸 추천해 드립니다.

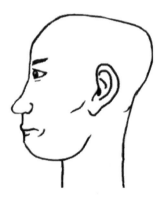

튀어나온 뒤통수 관상

머리 쓰는 일에 탁월하며 무슨 일이든 마음먹으면 반드시 해내는 의지력과 결단력이 있어 어떠한 시련이 온다 해도 비상한 머리를 활용해 위기를 극복하는 능력을 지녔습니다. 가족이나 지인의 도움보다는 자수성가하는 관상이라 할 수 있습니다. 자기 주관이 확실해 신뢰나 의리보다는 현실을 택하기 때문에 내 이득을 위해 상대를 배신하기도 합니다. 고집과 자존심이 강하여 인간관계나 결혼 운이 약할 수 있습니다. 뒤통수에 뼈가 둥글게 튀어나온 것이 아니라 뾰족하게 튀어나왔다면 반골 기질이 있어 흉하게 봅니다.

이런 외모를 가진 직장 상사는 회사에서 능력을 인정받아 직급이나 대우는 좋을지 모르겠으나 인간적으로는 그리 좋은 사람이 아닙니다. 팀 보다는 개인주의가 강해 자신의 성공만을 위해 달릴 뿐이니 부하 직원의 처지에서는 최대한 거리를 두는 것을 추천합니다. 이용만 당하다 버려질 확률이 높습니다.

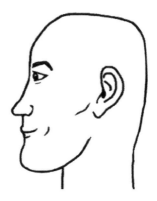

납작한 뒤통수 관상

  얌전하고 조용하지만, 몹시 예민합니다. 자기 실속부터 챙기는 이기적인 성격이 많고, 부모복과 건강운이 약해 고생을 많이 하게 되면서 힘든 삶을 살아갈 확률이 높습니다. 삶이 마음먹은 데로 풀리지 않아서인지 정서적으로 불안하며 어둡습니다. 운이 약하다 해도 태생적으로 성실하고 인내심이 강하여 어떤 시련이 온다 해도 극복해 냅니다. 대기만성형 타입으로 뒤늦게라도 반드시 자기 능력을 인정받는 편입니다.

  이런 외모를 가진 직장 상사는 정서불안인가 의심이 들 만큼 예민하고 변덕이 심해 비위를 맞추기가 정말 어렵습니다. 함께 일하기에 제법 난이도가 있는 편이라 직장 상사가 이런 두상이라면 직장 생활이 피곤해질 수 있으니 각오를 하는 것이 좋겠습니다.

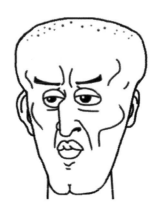

옆으로 발달한 두상 관상(옆 짱구)

아시아인에게서 특히 많이 보이는 두상이기도 합니다. 기본적으로 머리 쓰는 일에 특화되어 있다 할 수 있으며, 잔머리 쓰는 것에 매우 능합니다. 위기 대처 능력이 탁월해 어떤 고난과 역경이 온다 해도 재치 있게 헤쳐 나가는 힘이 있습니다. 타인의 시선을 지나치게 의식해 쓸데없는 지출이 많아 재물을 잘 모으지 못할 수 있습니다. 재주가 좋아 전문직에 활약하는 사람들이 많습니다.

이런 외모를 가진 직장 상사는 영리하고 재밌는 사람이지만 깊게는 엮이지 않는 게 좋습니다. 내가 이 사람의 임기응변에 쓰일 제물이 될 수 있으니 일정한 거리를 두면서 이 사람의 업무 스타일이나 재치를 보고 배우면 본인에게 큰 도움이 될 것입니다. 영리한 업무 스타일 하나는 최고입니다.

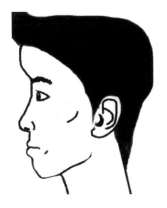

앞뒤가 발달한 두상(앞뒤짱구)

두뇌 회전이 빨라 공부나 머리 쓰는 일에 재능이 있어 소위 천재라 불리는 사람들에게서 두드러지게 보이는 특징이기도 합니다. 공부는 물론이고 창의력도 좋아 새로운 걸 창조하거나 새로운 사업으로 성공하는 사람들이 많습니다. 기본적으로 산만하며 남들과 다른 생각지도 못한 엉뚱한 기행을 보여주어 주위 사람들을 당황 시키는 별난 4차원 매력의 소유자입니다.

이런 외모를 가진 직장 상사는 성격 자체가 자유분방해 권위 의식이 없어 상대방을 편하게 대해 줍니다. 엉뚱하고 유머 감각이 좋아 동료들을 즐겁게 해주는 분위기 메이커를 자처하며 일머리도 좋아 옆에서 업무를 배우기에는 최적의 직장 상사라 볼 수 있겠습니다.

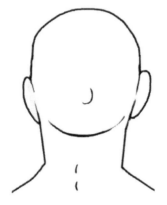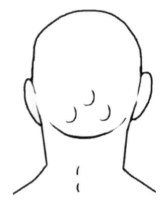

뒤통수뼈가 돌출된 관상

  보통은 뒤통수에 튀어나온 뼈는 긍정적으로 해석합니다. 사람 대다수는 뒤통수 아래쪽에 튀어나온 뼈를 하나에서 두 개를 가지고 있는데 이는 귀하다 해석됩니다. 다만 뒤통수에 뼈가 뾰족하게 툭 튀어나와 있다면 부정적으로 해석합니다. 반항심이 강하고 고집불통에 충동적인 성향을 가지고 있어 사람들과의 마찰이 잦아 평탄치 못한 삶을 살아갈 확률이 높습니다. 거친 성격 때문에 항상 주위에 사람이 없어 평생 고독한 삶을 살아갈 확률이 높습니다.

  드물게 뒤통수뼈가 가로로 길게 있거나 돌출된 뼈가 3개 혹은 5개인 경우는 장수하며 부귀를 누리는 귀한 관상이라 봅니다.

  적당히 돌출된 뒤통수뼈는 긍정적으로 볼 수 있으니 무난하다고 볼 수 있겠습니다. 다만 극단적으로 뾰족한 뒤통수뼈를 가진 직장 상사는 경계하는 게 좋습니다. 반항심이 강해 하극상하는 등 문제를 일으킬 확률이 높아 직장 내에서 평판이 극과 극으로 갈릴 것입니다. 부당함에 앞장서 투쟁하는 카리스마 있는 리더 혹은 거슬리는 것이 있으면 싸움닭처럼 태클을 걸고 일을 크게 만드는 싸움꾼이거나..

제3장 머리카락

　신체에 자라나는 털 중 머리카락을 통해서도 건강, 성격, 지성, 인복 등의 운세를 점칠 수 있습니다. 머리카락의 색은 검어야 좋으며 머릿결에 윤기가 흐르고 부드러워야 귀하다 봅니다. 머리카락에서 악취가 나며 머릿결이 거칠거나 굵고 푸석해도 좋지 않으며 머리숱이 너무 많거나 없어도 흉합니다.

곱슬머리 머리카락 관상

자기주장이 엄청나게 강해 고집불통에 모든 일에 의심이 많습니다. 살면서 성격 더럽다는 소리를 자주 들을 만큼 한 성격 합니다. 불꽃처럼 확 타오르다 꺼지기라도 하는 듯이 매사 끈기와 인내심이 부족합니다. 살아가면서 충동적인 행동이나 말을 하는 등의 크고 작은 사고를 치는 경우가 더러 있습니다. 강제로 본인의 인생 난이도를 올리며 살아가기 때문에 인생에 굴곡이 많고 삶에 있어 안정감이 부족할 수 있습니다. 인간관계가 약점이다 보니 평생이 고독할 수 있습니다. 손재주와 예술 감각이 뛰어나 기술이나 예체능 분야에서 두드러지게 보이는 것도 특징입니다.

이런 외모를 가진 직장 상사는 어딜 가나 하나쯤 있는 일명 미친개로 불리는 사람일 것입니다. 성격은 더러운데 일 하나는 잘하는 타입입니다. 업무적인 일 이외에는 피하는 게 상책입니다. 함께 일한다는 건 고통의 연속일 수 있으니 최대한 자세를 낮추고 비위를 맞춰주는 게 좋습니다.

굵고 거친 머리카락 관상

타고나길 건강하여 활력이 넘칩니다. 머리보다는 몸을 쓰는 직업군에서 많이 보이며 활동적이고 행동력이 좋습니다. 매사에 신중함이 부족하며 깊게 생각하지 않는 본능적으로 행동하는 타입입니다. 융통성이 없는 편이며 충동적인 말이나 행동을 하여 후회하는 경우가 많습니다. 성격이 거칠고 고집이 세, 사람들과 잘 어울리지 못하고 말썽이 항상 따라다니기 때문에 단체생활에 약한 모습을 보여주어 평생 고독할 수 있습니다. 누구 밑에 들어가 일하기보다는 혼자서 하는 일이 적성에 잘 맞습니다.

이런 외모를 가진 직장 상사는 호탕하고 유쾌하지만, 기분파라서 언제 돌변할지 몰라 눈치를 보며 업무를 배워야 할지 모릅니다. 또한, 독불장군 스타일로 업무를 진행하기에 소통이 어렵고 사람 자체가 덤벙대고 빈틈이 많아 동료들이 옆에서 일을 수습하느라 고생을 할 수 있습니다. 쉽지 않은 난이도가 있는 직장 상사라 볼 수 있겠습니다.

얇고 부드러운 머리카락 관상

 명석한 두뇌를 가지고 있지만 예민하고 우유부단합니다. 성격 자체는 순하고 얌전한 편으로 포용력이 좋아 인간관계에 있어서는 평판이 좋습니다. 자기주장을 잘하지 못해 우물쭈물하다 손해 보는 경우가 많아 좋은 기회를 놓치고 뒤늦은 후회를 자주 합니다. 쓸데없는 고민이 많고 예민한 성격 때문에 심적으로나 육체적으로 병약할 수 있습니다.

이런 외모를 가진 직장 상사는 부하직원을 적극적으로 챙겨줍니다. 부하직원의 작은 의견에도 귀를 기울일 줄 아는 100점짜리 좋은 직장 상사이지만 아쉬운 점이라면 추진력과 결단력이 부족해 무슨 일이든 진행이 순조롭지 않을 수 있습니다.

머리숱이 많은 머리카락 관상

천성이 사람을 좋아해 사람 많은 곳을 찾아 다닙니다. 사교성은 좋으나 성격이 급하고 고집이 센데다가 융통성까지 없어 답답한 구석이 있습니다. 직업운이나 재물운이 약하지만, 의지가 강해 무언가 하고자 하면 무섭게 그 분야에 파고들어 성공하는 사람들이 많습니다. 활력이 넘쳐 정력가들이 많은 것 또한 특징입니다.

이런 외모를 가진 직장 상사는 한마디로 친절한 사이코라고 정의할 수 있을 것 같습니다. 사람을 다루는 방법을 잘 알고 있어 첫인상은 좋은 사람처럼 보일 테지만 수가 틀어지면 갑자기 돌변하는 경우가 있으니 늘 경계하고 조심하는 것이 좋겠습니다.

붉은 노란빛이 도는 머리카락 관상

성질이 급하고 변덕이 심해 무엇이든 쉽게 싫증을 잘 냅니다. 충동적이고 생각이 부족해 말이나 행동을 줏대 없이 하며 품행이 깃털처럼 가벼워 주변인들에게 믿음을 주지 못합니다. 의지가 약하여 시작한 일을 끝맺는 것이 힘들고 어려서부터 평탄치 못한 성장기를 보낼 수 있겠습니다. 자신의 의지와는 상관없이 크고 작은 좌절을 겪으며 평생 외롭고 고달프게 살아갈 수 있습니다.

이런 외모를 가진 직장 상사는 변덕이 심하고 별난 구석이 있어 비위를 맞추기 어렵습니다. 또한 자신뿐만 아니라 옆 사람까지 망신당하게 하는 경우가 종종 있어 옆에서 업무를 배우기에는 정신적 고통이 수반될 수 있습니다. 신뢰할 만한 사람이 아니니 자신의 속마음 터놓고, 깊은 대화는 하지 않는 것을 강력하게 추천해 드립니다.

흰 백발 머리카락 관상

나이가 들어가며 노화에 따라 흰머리가 자라는 것은 지극히 자연스러운 것이나 어린 나이에도 백발에 가까울 정도로 흰머리가 많다면 매우 흉하게 봅니다. 성격이 거칠고 고집불통이라서 사람들과의 마찰이 잦습니다. 성격이 성격인지라 주위에 사람이 없어 고독합니다. 정신적으로나 육체적으로 큰 문제를 가지고 있을 확률이 높아 평생을 고생할 수 있습니다. 윗사람과의 인연이 약해 윗사람들을 힘들게 할 수 있습니다.

이런 외모를 가진 직장 상사는 부하 직원에게 냉정하고 정을 잘 주지 않습니다. 욱하는 불같은 성격 때문에 언제 다 뒤집어엎을지 모르고 고집과 자존심이 매우 강해 동료들과의 협동보다는 독불장군처럼 독단적인 판단을 일삼아 크고 작은 분란이나 일을 망치는 경우가 많습니다. 옆에서 업무를 배우고 함께 일한다는 것에 난이도가 좀 있는 타입입니다. 답답해 속이 터져도 명령에 따르는 것 이외에는 도리가 없습니다.

새까맣게 검은 머리카락 관상

윤기가 흐르는 검은 머리카락은 관상에서 귀하게 봅니다. 그렇지만 너무 칠흑처럼 검은 머리카락은 충동적이고 쾌락적인 것을 좋아해 안정적인 삶과는 거리가 있어 경제적으로 궁핍할 수 있습니다. 나이가 들어서도 검은 머리라면 인자하고 너그러워 인격적으로 훌륭하다고 합니다. 건강하여 장수한다고 해석되지만 자식운이 안 좋을 수 있습니다.

이런 외모를 가진 직장 상사는 모든 일에 열정적이라 선임으로 믿고 따르기에는 나쁘지 않지만, 업무시간 외에서 문제를 만드는 타입입니다. 활력이 넘쳐서인지 주말에 운동을 함께 하자고 하거나 사적으로 술 한잔하자는 연락이 올 수 있으니 애초에 회사에서부터 철벽을 치는 게 좋습니다.

구레나룻 진한 관상

호탕하지만 다혈질에 거친 성격이 많습니다. 머리 쓰는 일에는 약하지만, 건강을 타고나 몸을 쓰는 일에 탁월합니다. 허세와 허풍을 잘 치고 능글맞은 구석이 있으며 사람을 좋아하고 능숙하게 다룹니다. 그 때문에 항상 주위에 사람들을 몰고 다닙니다. 신중함이 부족해 크고 작은 사고를 치고 다니기 때문에 가족이나 주위 사람들을 고생시킬 수 있습니다.

이런 외모를 가진 직장 상사는 구레나룻에서 풍기는 포스가 상당해 첫인상에서 상대를 압도할 만큼 강렬할 것입니다. 실상은 재밌는 농담도 잘하고 엉뚱한 매력을 가지고 있습니다. 의리가 있어 무심하게 잘 챙겨주고 무슨 일이든 앞장서서 최선을 다하기 때문에 옆에서 업무를 배우기에는 나쁘진 않습니다. 단순 업무 외에 함께 무언가를 같이하는 건 추천하지 않습니다.

구레나룻 없는 관상

차분하고 집중력이 좋아 공부로 인생을 풀어가기 적합하다 볼 수 있습니다. 운동이나 몸을 쓰는 육체적인 일에는 약한 모습을 보이지만 머리를 쓰는 일에서만큼은 재능을 보여줍니다. 언제나 침착하고 이성적이기 때문에 자수성가하기 좋습니다. 단! 연하게 듬성듬성 있는 구레나룻은 흉하니 구레나룻을 관리해 주는 것이 좋습니다.

이런 외모를 가진 직장 상사는 탁월한 업무 능력을 가지고 있으며 인격적으로도 훌륭합니다. 옆에서 보고 배우기 좋은 무난하고 꽤 괜찮은 직장 상사라 볼 수 있습니다. 특출 난 능력 덕분에 성공운이 좋으니 좋은 관계를 유지하며 옆에 꼭 붙어 있으시길 바랍니다.

한쪽으로 치우친 가마 관상

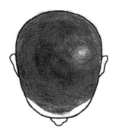

가마는 정수리 부근에 있어야 이상적입니다. 삶이 평탄하여 귀하다 보며 가마가 한쪽으로 치우친 경우는 상대적으로 부정적이라 할 수 있는데 부모나 형제와의 연이 약하거나 초년 운이 좋지 않기 때문에 일생이 잘 풀리지 않고 고달플 수 있습니다. 부모의 유산이나 누군가의 도움 같은 요행을 애초에 바라서는 안 되며 오직 자신의 노력으로 무엇이든 일궈내야 하는 노력형이라 볼 수 있습니다.

이런 외모를 가진 직장 상사는 거친 삶을 살아가며 산전수전 공중전까지 겪다 보니 사람 자체가 경계심이 강해서 쉽게 마음을 열지 않는 타입입니다. 공과 사를 칼같이 지키며, 심하다 싶을 정도로 극단적인 성격이 많아 옆에서 업무를 배우는 것은 둘째 치고 비위를 맞추는 게 어려워 옆에서 고생을 많이 할 수 있겠습니다. 삶 자체가 고단하니 덕을 베푼다고 생각하시고 옆에서 짐이 되지 않도록 열심히 돕는 게 좋겠습니다.

여러 개 있는 가마 관상

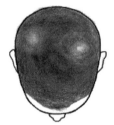

보통 가마가 여러 개 있는 사람들은 가마의 숫자만큼 결혼한다고 많이 알려져 있는데 꼭 그런 것은 아닙니다. 그렇다고 아주 관련이 없다고는 할 수 없을 거 같습니다. 가마가 두 개 이상인 사람들은 팔자가 세고 삶의 풍파가 많아 평탄하지 못한 삶을 살아갈

확률이 높습니다. 평탄하지 못한 삶을 살아가다 보니 안정적인 것과는 거리가 있어 결혼생활을 유지하지 못할 확률이 높은 것이지요. 모든 걸 잃는다 해도 타고나길 집념이 강해 넘어질지언정 쓰러지지 않습니다. 나름 성공수가 좋다고 볼 수 있습니다.

이런 외모를 가진 직장 상사는 부하직원이 아무리 큰 실수를 하더라도 너그럽게 이해하고 해결책을 찾는 노력하는 리더입니다. 편견이나 선입견이 없고 뛰어난 포용력을 지닌 사람이지만 이중적이고 음흉한 구석이 있어 속을 알 수가 없습니다. 이 사람 뭐지? 라고 느낄만한 행동이나 말을 종종 하여 상대를 당황하게 하는 경우가 있을 수 있습니다. 너무 가깝게 지내기보다는 항상 경계하고 안전거리를 확보하며 적당한 거리 유지를 생활화하는 것이 모두를 위해 좋을 것입니다.

제4장 이마

  이마를 통해서 건강, 인성, 부모복, 지능, 성공 등을 점칠 수 있습니다. 이마에 흉터, 잔주름, 점이 없어야 좋고 헤어라인이 지저분하지 않으며, 전체적으로 둥글고 살집이 두툼해야 좋습니다. 이마 너비는 이마에 열을 재듯이 손을 펴 이마에 가져다 대보았을 때 손가락 3개 정도의 넓이가 이상적입니다. 이마의 가로길이 역시 널찍하여야 부모복, 초년 운이 좋고 귀하다 봅니다. 이마에 주름이 중간에 끊어지거나 주름 양 끝이 밑으로 하향하는 것보다는 주름이 선명하고 진하며 주름의 양 끝이 상향하는 것을 귀하다 봅니다.

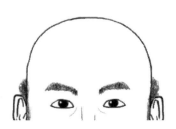

심하게 벗겨진 이마(대머리) 관상

미관상 매우 보기 안 좋을 수 있으나 관상학에서의 벗겨진 이마는 긍정적으로 해석됩니다. 포용력이 좋고 초년 운이 좋아 어린 나이에 출세하는 사람이 많으며 재복이 좋습니다. 실제 재벌 중 머리가 훤하게 벗겨진 사람이 많습니다. 업무능력이 탁월해 어디서든 자기 능력을 인정받을 수 있어 출세하긴 쉬우나 그 길이 생각처럼 쉽게 풀리진 않습니다. 항상 크고 작은 시련들이 따라다니니 그것을 견뎌야 합니다. 여성 이마가 넓다면 부정적으로 봅니다. 남성과 같이 사회생활에서만큼은 그 능력을 인정받아 출세하지만, 성격이 거칠고 배우자 복이 약해 이혼 수가 강하며 홀로 가정을 책임지는 가장이 될 확률이 높습니다. 정말 잘 안 풀린 경우 어린 나이부터 생활전선에 뛰어들어 고생하게 되는 일도 있습니다.

머리가 벗겨지면 변강쇠처럼 체력이 좋고 정력이 세다는 속설이 있는데 꼭 그런 것은 아닙니다. 욕구는 강할지 모르겠으나 건강상으로는 오히려 혈관이나 심장이 약할 수 있어 건강에 신경 써야 하는 관상입니다.

이런 외모를 가진 직장 상사는 뭐 이런 게 다 있지? 할 만큼 성격이 괴팍하고 이기적 일 수 있으나, 여우처럼 사람을 다룰 줄 알고 업무능력 하나만큼은 정말 탁월합니다. 옆에서 업무를 배우거나 함께 협력해서 일하기에는 절대 편하지 않은 사람입니다. 다만 능력은 있는 사람이니 옆에서 처세술이나 업무 스타일을 보고 배운다면 회사 생활에 큰 도움이 될 것입니다.

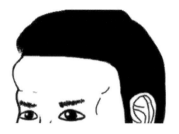

뾰족한 돌출 이마 관상

이마에 살이 두툼하게 돌출되면 귀하다 여겨지지만, 살이 없고 뼈만 뾰족하게 돌출되면 흉하다 해석됩니다. 재물복과 부모복이 약해 초년부터 고생을 할 수 있고 육체적으로나 정신적으로 병약할 수 있습니다. 하는 일마다 잘 풀리지 않아 운의 기복이 심합니다. 초년부터 말년까지 일생이 시련의 연속이라 할 수 있습니다.

이런 외모를 가진 직장 상사는 사람 자체가 우유부단하고 노력에 비해 결과가 늘 좋지 못하기 때문에 자기 앞가림하기에도 벅찬 사람입니다. 포용력이나 리더십은 애초에 기대하지 않는 게 좋습니다. 능력을 인정받지 못하다 보니 부하 직원들에게도 은근히 무시당하는 경우가 많습니다. 회사 내에서 윗사람이고 밑에 사람이고 할 것 없이 만만하게 보며 깔보고 무시당하는 캐릭터일 확률이 높습니다. 그래도 사람 일은 모르는 것이기 때문에 자신을 위해서라도 상대를 존중하는 게 좋습니다.

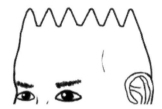

넓고 긴 이마 관상

　자존심이 강하고 자기애가 강한 성격입니다. 타고나길 인복이 좋아 어떤 어려움이 온다 해도 주위 사람들의 도움을 통해 극복해 내는 힘이 있습니다. 건강운 또한 좋아 큰 잔병치레 없이 장수한다고 전해집니다. 배우자 복이 좋고 머리 쓰는 일에도 능하여 좋은 직장을 가질 확률이 높습니다. 집안의 도움이나 동업, 투자받아 비교적 젊은 나이에 사업을 시작하는 사업가들에게서 많이 보이는 이마이기도 합니다. 재물복도 좋고 삶 자체가 안정적이고 평탄합니다.

　이런 외모를 가진 직장 상사는 모든 면에서 냉정할 정도로 이상적이라고 할 수 있습니다. 똑 부러진 일 처리와 리더십 있는 사람으로서 모두에게 너그럽고 친절하여 첫 출근 날 본인의 사수가 태평양처럼 넓은 이마를 가지고 있다? 당신은 행운아입니다.

좁은 이마 관상

부모 형제와의 연이 약하고 인생에 크고 작은 풍파가 많습니다. 생각이 짧고 성질이 급해 타인에게 이용당하는 일이 잦고 자신에게 온 기회도 제대로 잡지 못합니다. 무슨 일이든 충동적이고 급한 성격 때문에 일을 그르치는 경우가 많습니다. 인복과 초년 운이 약하여 오직 자신의 노력으로 자수성가해야 합니다. 인간관계가 약할 수 있고 배우자 복도 그리 좋지 못하여 결혼생활이 고달플 수 있으니 이런 이마를 가진 사람들은 늦은 나이에 결혼하는 게 좋습니다.

이런 외모를 가진 직장 상사는 성격이 불같고 자기중심적이라 직장 내 동료들과 안 싸워본 사람이 없는 싸움닭일 확률이 높습니다. 세상 괴팍하고 거칠어 보이지만 보기와는 다르게 섬세하고 여린 감수성의 소유자가 많아 별것 아닌 행동이나 말에 쉽게 상처받기도 합니다. 불같은 성격도 자신의 여린 내면을 숨기기 위한 방어 기제라 봐도 될 거 같습니다. 문제는 여린 감수성 때문인지 잘 삐져서 찍히면 피곤해집니다. 최대한 비위를 맞추려 노력하세요.

각진 사각 이마 관상

타고난 결단력과 적극성 때문에 어디 가서든 인정받을 만큼 능력이 뛰어나지만, 자존심이 강하고 독단적인 독불장군이라서 직장 동료부터 가족, 배우자까지 옆에 있는 것만으로도 피곤할 수 있습니다. 완고하고 융통성이 부족해 편법이나 요행보다는 자신의 소신에 따라 행동합니다. 그 때문에 요즘 같은 세상에는 어리석은 인간으로 비칠 수 있겠습니다. 한 단계 한 단계 자신을 발전시키는 노력파에 가까워 시작은 미약하나 그 끝은 창대할 것입니다.

이런 외모를 가진 직장 상사는 믿음직한 장군과 같습니다. 사람 자체는 딱딱하고 재미없지만, 업무적으로는 뛰어납니다. 어떤 상황에서도 해결책을 찾아내는 위기 대처 능력과 책임감 있는 리더 중의 리더라 평가할 수 있겠습니다. 장군처럼 나를 따르라 하면 군말 없이 그의 뒤를 따르면 됩니다. 단점은 소통의 부재로 인한 답답함과 강도 높은 업무적인 부분은 감수하셔야겠습니다.

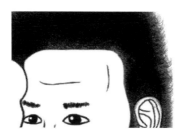

오목하게 들어간 이마 관상

부모복, 자식복, 배우자복이 약할 수 있어 살아가며 수많은 시련이 올 수 있습니다. 노력에 비해 늘 결과가 좋지 못해 시험운이 나쁘며, 고집이 세고 남의 말을 잘 듣지 않습니다. 성격이 소심하고 생각 또한 짧아서 자기 무덤을 파는 짓을 잘해 곤욕을 치르는 경우가 많습니다. 긍정적인 점은 타고나길 성실하게 노력하는 타입이라 어떤 환경에 처하더라도 포기하지 않고 묵묵하게 노력하며 자신을 발전시켜 훗날 남부럽지 않게 살아갈 확률이 높은 대기만성형입니다. 이마 좌우 높낮이가 다르다면 어린 나이에 부모에게 큰 변고가 생겼음을 알 수 있습니다.

이런 외모를 가진 직장 상사는 성격이 소심해 뒤끝이 있는 타입이니 밉보이지 않게 늘 조심해야 합니다. 업무적으로는 일머리도 부족하고 실수가 잦은 편이라 믿음직스럽진 않지만 일을 대하는 자세만큼은 배울 점이 많습니다. 옆에서 함께 일하기에 난이도는 조금 있지만 사회 초년생들에게는 이만큼 좋은 직장 상사도 없을 듯합니다.

둥근 이마 관상

　부모복과 인복을 타고나 비교적 젊은 나이에 성공해 안정적인 삶을 살아갈 확률이 높습니다. 성격이 밝고 사교적이라 사람들에게 인기가 많아 주위에 항상 사람들을 몰고 다닙니다. 경제관념이 뛰어나 돈을 버는 방법과 돈을 모으는 재주도 뛰어납니다. 배우자 복도 좋은 편이라 화목한 가정을 이루고 남부럽지 않은 삶을 살아갑니다.

　이런 외모를 가진 직장 상사는 업무적으로 똑 부러지고 책임감이 강해 믿음직스러운 사람입니다. 사교성이 좋고 누구와도 잘 어울리는 둥글둥글한 성격이라 함께 일하기 참 좋습니다. 당신은 행운아! 모든 게 낯설고 막막한 회사 생활에 있어 부담이 줄었다 볼 수 있습니다.

볼록 튀어나온 앞짱구 이마 관상

빠른 두뇌 회전과 재주를 타고난 천재형인 경우가 많습니다. 어디서든 특유의 친화력으로 사람들과 잘 어울리며 천진난만하고 외향적입니다. 어딘가 모르게 나사가 하나 빠진 거 같은 독특한 개성을 가지고 있으며 특유의 날카로운 감이 있어 기회가 왔을 때 놓치는 경우가 적어 남들보다 성공하기 쉽습니다.

이런 외모를 가진 직장 상사는 재주가 많고 센스가 좋습니다. 직장 내에서 능력을 인정받아 주요직에 앉아 있는 경우가 많으며 사람들에게 인기도 많아 평판이 좋습니다. 이런 직장 상사 옆에 있어 나쁜 것이 없으므로 최대한 빨리 환심을 사서 친해진 후 옆에 붙어 다니는 게 좋습니다.

미끄럼틀처럼 뒤로 젖혀진 이마 관상

　인복 부모복을 받기 매우 힘들어 어린 나이부터 크게 고생할 수 있습니다. 주위 사람들의 도움을 받는 것이 어려워서 오직 자신의 힘으로 성공해야 하는 운명이라 점칠 수 있습니다. 고집이 세고 거칠어 인간관계가 좋지 못하며 배우자 복도 약해 인생에 기복이 매우 심할 수 있습니다. 인생에 좌절과 실패가 잦을 수 있으니, 남들보다 많은 노력과 인내를 기르지 않는다면 불운한 삶을 살아갈 확률이 높습니다.

　이런 외모를 가진 직장 상사는 자기중심적이고 고집이 세, 협동해야 하는 일에 어려움이 따르기 때문에 직장 내에서 트러블 메이커일 확률이 높습니다. 부하 직원이 들어와도 잘 챙겨주지 않고 시큰둥하겠지만, 신입 시절에는 최대한 저자세로 비위를 맞춰주며 일을 배우겠다는 성의를 보이는 게 좋습니다. 그러면 남들 눈 때문이라도 잘해줄 것입니다. 회사 생활에 어느 정도 자리를 잡았다면 이런 직장 상사와는 최대한 엮이지 않는 게 좋습니다.

이마 양옆 가장자리가 움푹 꺼진 관상

이마 양옆이 움푹 꺼진 사람들에게 일명 역마살이 끼었다 혹은 이동수가 있다고 합니다. 이런 관상은 어디든 한곳에 오래 정착하지 못하고 자주 이사를 하거나 직장을 이곳저곳 옮겨 다닐 수 있습니다. 자의든 타의든 많은 곳을 떠돌아다닐 수 있어 심적으로 고생을 많이 할 수 있습니다. 교통수단이 마땅치 않던 먼 과거 시절 먼 길을 가다 만나게 되는 산적과 호랑이의 출몰을 피할 수 없었기에 장거리를 떠돌아다니는 사람들은 목숨을 걸다시피 해야만 했습니다. 그 때문에 그 시절 역마살이 있는 관상을 천하다 복이 없다 해석했지만 요즘 같은 시대에 역마살은 긍정적으로 해석해야 합니다. 여러 지역이나 나라를 돌아다니며 경험하고 사람들을 만나는 직업군 혹은 많은 사람의 사랑을 받는 연예계 쪽 사람들이라고 보는 게 맞겠습니다.

반대로 이마 옆 가장자리가 볼록하게 솟아 있다면 귀하게 해석됩니다.

이런 외모를 가진 직장 상사는 예술적인 감각이 뛰어나고 창의적인 사고를 지니고 있어 확실히 회사에서 인정받는 능력자일 수 있으나 방랑자와 같아서 어느 날 갑자기 홀연히 떠나 버릴 것입니다. 이 때문에 잠깐 지나치는 사람으로 여겨도 좋습니다 정을 주든 안 주든 띠나 버리니 민사리가 크지 않게 적당한 안전거리 유지가 서로를 위해서 좋겠습니다.

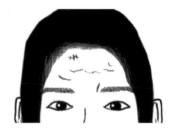

이마 주름이 지저분하거나 흉터가 있는 관상

　부모복이 약해 부모의 도움을 받지 못하여 초년부터 고생할 수 있습니다. 부모에게서 재산을 물려받는다고 하더라도 재산을 지키지 못할 확률이 높습니다. 무엇이든 하나에 집중하지 못하는 산만함을 지녔으며 허송세월을 보내는 경우가 많으므로 직업운 또한 좋지 않아 직장을 자주 옮겨 다닙니다. 성공에 대한 열망은 크나 행동력이 부족해 생각만 하고 실행을 잘하지 않아 언제나 말뿐인 경우가 많습니다. 애초에 도움을 받기가 어려우니 남의 도움을 기다리기보다는 본인의 노력으로 자수성가해야 합니다.

　이런 외모를 가진 직장 상사는 자기 딴에는 열심히 노력하며 일하지만 늘 결과가 실망스러운 경우가 많을 것입니다. 공상을 좋아하고 산만해 업무 속도 또한 느리고 실수도 잦아 회사에서 인정받지 못할 확률이 높습니다. 입사 후 사수로 따르며 업무를 배우기에는 약간 고달플 수 있겠으며 냉정하게 업무적으로는 함께 일하지 않는 것이 좋습니다.

3자 이마 관상

　자유분방한 성격으로 누구와도 잘 어울리지만, 상하관계 단체생활 위계질서가 있는 곳에서는 잘 적응하지 못하는 모습을 보이는 경우가 많으며 사람과의 마찰도 잦은 편입니다. 한번 마음을 열면 끝까지 그 사람을 믿는 의리파이지만 그 믿음 때문에 사기나 배신당해 패가망신하는 경우가 많으니 늘 경계해야 합니다. 윗사람 덕을 보기 힘들어 자수성가해야 하지만 타고나길 의존적인 성향이 강합니다. 여성이 이런 이마를 가졌다면 현모양처의 상이라 해석하지만, 남성 같은 경우 인생에 기복이 심하다 해석합니다.

　이런 외모를 가진 직장 상사는 격식을 차리는 걸 싫어하고 유머러스하여 당신을 편하게 대해줄 것입니다. 문제는 성격 자체가 자유분방해 어디로 튈지 모르고, 책임감도 약간 부족해 직장 상사보다는 친분 있는 선후배나 직장 동료가 안성맞춤입니다. 한번 이 사람 마음에 들면 든든한 아군이 생긴 거나 다름없습니다. 시간이 날 때마다 신경 써 당신을 챙겨 줄 것입니다. 다만 사소한 것이라도 신뢰를 깨버리는 행동이나 말을 하여 그에게 실망감을 준다면 당신과 좋았던 시절은 끝입니다. 이 사람은 한번 마음이 돌아서면 관계 회복은 불가능에 가깝습니다. 무서운 뒤끝을 가지고 있으니, 실망감을 주지 않도록 항상 경계하세요.

M자 이마 관상

M자 탈모와는 다릅니다. 타고나길 이마가 M자인 사람들을 말하는 것입니다. 두뇌 회전이 빠르고 창의력이 좋습니다. 자신의 관심 분야에서 만큼은 무서울 정도로 파고들어 엄청난 성과를 보여줍니다. 예술이나 창작과 관련 있는 직업군에서 두드러지게 보이며 강한 도전정신과 집념 덕분에 자수성가하는 사람들이 많습니다. 문제는 고집이 세고 독단적이라 자신이 마음먹은 일은 무슨 일이 있어도 해야 직성이 풀리는 성격입니다. 그 때문에 목적을 위해서라면 어떠한 희생도 마다하지 않는 타입입니다. 그 희생이 그 어떤 것이라도 말이죠.

이런 외모를 가진 직장 상사는 일에 미쳐 산다고 봐야 할 만큼 일 벌레입니다. 회사에서는 일 잘하는 에이스로 통하지만, 부하 직원에게는 악마와 다름없을 것입니다. 처음 적응도 하기 전에 과도한 업무량에 어려움이 따를 것이고 업무 속도가 저조하거나 성과가 기대치에 못 미치면 무서운 결과가 기다리고 있을 것입니다. 무서운 직장 상사이긴 해도 악한 사람은 아니기 때문에 믿고 따를 만한 직장 상사임은 틀림없습니다. 고통의 시간을 견뎌낸다면 어느새 당신은 회사에서 인정받는 인재로 성장해 있을 것입니다. 정말 버틸 수만 있다면..

세모 이마 관상

초년운이 극단적으로 안 좋아 어린 시절부터 크게 고생을 할 수 있습니다. 순한 성격이지만 생각이 짧고 욕심과 충동성이 강해 어린 시절 크고 작은 사고를 치고 다니는 경우가 많습니다. 나이가 들어가며 모든 것이 조금씩 좋아지는 것도 세모 이마의 특징인데 인격적인 성장과 함께 자신의 재능을 찾고 발전시켜 늦은 나이에 성공하는 경우가 많습니다.

이런 외모를 가진 직장 상사는 생각이 짧고 일머리도 없는데 우유부단하기까지 하여 본인이 책임지지 않아도 될 것을 떠안는 경우가 많습니다. 속이 좁아 잘 삐치기 때문에 비위를 맞추는데 난이도가 조금 있는 편입니다. 직속상관이 이런 이마라면 고달픈 회사 생활이 예상됩니다.

헤어라인이 아치형으로 깔끔한 관상

　여성에게서 두드러지게 보이는 헤어라인이기도 합니다. 헤어라인이 깔끔하면서 적당히 넓은 아치형이라면 귀하다 볼 수 있습니다. 초년운이 좋고 인복이 좋아 어딜 가든 사랑받게 됩니다. 타고나길 머리가 비상해 계획한 것이나 원하는 것은 웬만해서는 이루어 내는 편입니다. 감수성이 풍부하고 이해심이 좋아 인간관계가 아주 좋습니다. 여성이 이런 이마를 가졌다면 현모양처나 다름없습니다. 다 좋은 데 단점을 굳이 꼽자면 우유부단할 수 있습니다.

　이런 외모를 가진 직장 상사는 자기 자신보다는 주위 사람들을 더 챙겨주는 성품과 특유의 희생정신 또한 겸비한 날개 없는 천사와 같습니다. 업무 중 웬만한 실수를 해도 이해해 주는 포용력과 상대를 편하게 해주는 배려심까지 성격도 쿨해서 뒤끝도 없습니다. 잘해준다고 긴장이 풀려 기어오르거나 했다간 큰 화를 입을 수 있으니 늘 깍듯이 대하는 걸 잊지 말아야 합니다. 최소한 직장 상사 때문에 심적 압박은 덜 느끼게 되었으니 시작부터 좋습니다.

헤어라인이 지저분한 관상

부모복이 약하며 초년부터 고생을 할 수 있습니다. 잡생각이 많고 주의가 산만해 무슨 일이든 오랜 기간을 끈기 있게 하지 못합니다. 충동적이고 반항심이 강해 직장을 자주 옮겨 다닐 수 있습니다. 계획적인 소비보다는 충동적인 지출이 많아서 경제적인 어려움이 늘 따라다니며 안정적이지 못한 삶을 살아갈 확률이 높습니다. 배우자 복도 약하여 결혼생활을 길게 유지하기 어려우며 고독할 수 있습니다.

이런 외모를 가진 직장 상사는 회사에서 직장 동료와의 트러블이 많아 평판이 좋지 않습니다. 말재주는 좋아 그럴싸하게 포장해 말하며 부하 직원을 이용해 먹는 타입이 많습니다. 고생은 내가 하고 모든 공적은 빼앗아 가는 소위 얌체처럼 사회생활을 잘하는 타입입니다. 알면서도 모르는 척 이용당해 주며 회사에서 자리를 잡을 때까지는 버텨야 합니다.

이마에 잔주름이 지나치게 많은 관상

초년 운이 좋지 못하며 성격이 꼬였거나 괴팍할 수 있습니다. 어려서부터 고생하며 성장했을 확률이 높고 어디를 가도 환영받지 못하며 재산 또한 지키지 못하는 데다 손대는 일마다 쉽게 잘 풀리지 않습니다. 항상 잡생각과 공상으로 머릿속이 복잡하고 감정의 기복 또한 심하여 끈기와 집중을 요구하는 일에는 적합하지 않습니다. 직업이 자주 바뀌기 때문에 안정적인 삶을 살아가기 힘들 수 있습니다. 긍정적인 면이라면 점차 형편이 나아지는 희망스러운 관상입니다.

이런 외모를 가진 직장 상사는 항상 노력에 비해 결과가 아쉬워 좌절하는 일이 많지만 묵묵하게 자기 일에 최선을 다하는 타입입니다. 일머리가 없어 회사에서 평판이 좋지 못하다 하더라도 일에 임하는 자세만큼은 꼭 보고 배우시는 게 좋습니다. 대기만성형이기 때문에 믿고 따른다면 언젠가 좋은 결실을 함께 나눌 수 있을지 모릅니다. 직장 상사가 퇴사만 하지 않는다면 말이죠.

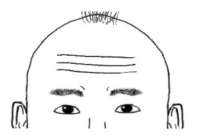

이마에 세 개의 진한 주름 관상

매우 이상적인 이마 주름입니다. 주름 끝이 밑으로 하향하지 않고 위로 상향하면 기운이 상승한다고 여겨 더욱 귀합니다. 타고나길 총명하여 머리 쓰는 일에 능하며 어떤 환경에서라도 자수성가하는 능력자가 많습니다. 매사에 신중하고 치밀하여 굳이 하지 않아도 될 쓸데없는 걱정이나 고민으로 정신적인 고통이 따를 수 있습니다. 인복, 재물복, 건강까지 타고나 장수한다고 여겨지며 자신의 노력으로 일생을 남부럽지 않게 살아가게 됩니다. 부와 명예를 모두 얻을 수 있는 고위직이나 사업가에게서 많이 보이는 이마 주름이기도 합니다. 부하복에 자식복까지 좋아 화목한 가정을 꾸리고 말년까지 행복합니다.

이런 외모를 가진 직장 상사는 모든 면에서 뛰어난 팔방미인에 가깝습니다. 당연히 직장 내에서 평판이 좋아 에이스로 통할 것입니다. 모두에게 친절하고 능력까지 뒷받침되는 사람입니다. 친분을 쌓으며 롤 모델로 삼아도 나쁘지 않을 것입니다.

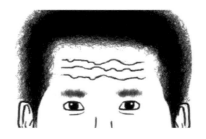

이마에 주름이 물결치는 관상

성격이 우유부단하고 변덕이 심합니다. 생각이 짧고 산만해 사고를 치고 다니며 좋은 기회가 와도 어리석은 판단으로 일을 망쳐 후회하는 경우가 많습니다. 나름대로 노력은 하지만 생각처럼 일이 풀리지 않아 안정적인 삶과는 거리가 있을 수 있습니다. 재물복이 약하여 재산을 잘 모으지 못해 경제적으로 고생할 수 있습니다.

이런 외모를 가진 직장 상사는 믿고 따르기에는 문제가 있을 수 있습니다. 악한 사람은 아니지만, 책임감이 부족하고 우유부단해서 리더로서 자질이 매우 부족할 수 있습니다. 회사에서뿐만 아니라 사적으로도 크고 작은 사고를 많이 치기 때문에 함께 무언가를 하기에는 문제가 있을 수 있습니다. 적당한 안전거리 확보가 필요하겠습니다.

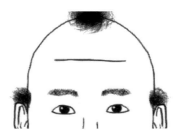

이마 위쪽에 진한 가로 주름 관상

  부모복이 좋으며 윗사람들에게 예쁨을 받아 부모나 지인의 도움을 통해 비교적 젊은 나이에 출세하는 사람들이 많습니다. 젊은 나이에 안정적인 삶을 누리다 보니 욕심이 커져 무리한 사업 확장이나 사기를 당해 패가망신하는 경우를 종종 볼 수 있습니다. 부하복이나 자식복이 약하고 점차 운이 약해져 말년에 고생하거나 고독할 수 있습니다. 늘 신중하고 겸손해야 하는 관상입니다.

  이런 외모를 가진 직장 상사는 회사에서 인정받는 인재들이 많습니다. 외로운 한 마리의 늑대처럼 팀보다는 단독으로 일하는 걸 즐기는 것이 특징이며 자신의 부하 직원을 잘 챙기는 타입은 아니지만, 업무적으로는 흠잡을 곳이 없으니, 옆에서 배우기에 최적입니다. 회사에서 승승장구하는 직장 상사를 따른다면 자신에게도 득이 될 것입니다. 믿고 따르세요. 단, 나이를 먹을수록 운이 꺾인다고 해석되니 직장 상사의 나이가 있다면 크게 득을 보기 어렵습니다.

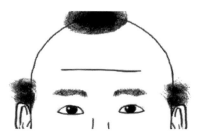

이마 가운데 진한 가로 주름 관상

　가족 친지와 주위 사람들을 끔찍이 챙기는 타입이 많습니다. 윗사람 복이 부족해 도움을 받기보다는 주변 사람을 챙기다가 손해를 보는 경우가 많습니다. 끈기와 성공에 대한 열망이 강해 남들에게 독하다는 말을 들을 만큼 공부나 일에 미쳐사는 사람들이 많습니다. 이 때문에 혹독한 환경에서라도 자수성가할 확률이 매우 높으며 건강운도 좋아 활력이 넘치는 건강한 관상입니다. 주름은 일직선으로 끊어지지 않아야 하며 아래로 하향하는 주름은 좋지 않습니다.

　이런 외모를 가진 직장 상사는 내 사람이라는 생각이 들면 정말 잘 챙겨 줄 것입니다. 이 직장 상사의 눈에 들기 위해 노력하는 모습을 보여주는 것이 좋습니다. 타고나길 출세라면 목숨도 거는 타입이라, 최대한 친분을 쌓아서 옆에 붙어 있는 것이 좋습니다. 저 높은 곳으로 올라가기 전에 자신의 능력을 충분히 보여주고 인정받는 것이 좋겠습니다.

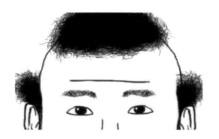

이마 아래 진한 가로 주름 관상

눈썹과 근접한 위치에 가로로 긴 주름이 하나 있는 관상은 아랫사람 복을 의미합니다. 부하복이 좋거나 귀한 자손을 가지게 된다는 의미가 강합니다. 초년부터 중년까지 크게 고생할 수 있으나 대기만성형으로 중년 이후부터 운이 서서히 풀린다고 해석됩니다. 늦깎이로 시작한 일이 잘 풀려 성공하는 사람들을 많이 볼 수 있습니다. 인격적으로 **훌륭한** 사람들이 많아 어딜 가든 주변 사람들의 신임을 받고 사람들이 따릅니다.

이런 외모를 가진 직장 상사는 회사에서 업무적으로는 인정받지 못하더라도 인간적으로 **훌륭하여** 부하 직원을 진심으로 잘 챙기고 아끼는 좋은 사람입니다. 이 때문에 부하 직원들 사이에서의 평판은 정말 좋을 것입니다. 만약 직속상관이 이런 이마의 주름이 있다면 당신은 행운아입니다. 완벽주의자 성향에 숨 막히게 일 잘하는 직장 상사보다는 일 좀 못해도 잘 챙겨주는 직장 상사가 최고죠.

이마에 V자 주름이 있는 관상

　기본적으로 집중력이 부족하여 산만하고 허세가 몹시 심해 남들에게 보여지는 것에만 집착하여 형편에 맞지 않는 과소비를 하거나 뜬구름을 잘 잡습니다. 사람을 쉽게 믿지 않고 의심이 많아 주위에 사람이 많지 않습니다. 끈기가 부족하여 노력하는 것보다 요행을 바라며 편한 것만 찾다 보니 허송세월로 많은 시간을 허비할수 있어서 경제적인 어려움에 처할 수 있으며 안정적인 삶과는 거리가 있을 수 있습니다. 운동 같은 육체적인 몸을 쓰는 일에 적합합니다.

　이런 외모를 가진 직장 상사는 자기주장이 강하고 남을 깔보는 성향이 있어 부하 직원을 막 대하는 경우가 있습니다. 부하 직원같은 경우 지옥 같은 나날의 연속이 될 것입니다. 특히 신입 직원이라면 말할 것도 없겠지요. 나 자신이 가장 중요한 사람이기 때문에 상황에 따라서 본인 업무도 부하 직원에게 떠넘길 수 있습니다. 어떻게 하면 한방 크게 벌지? 어떻게 하면 편하게 일할까? 잔머리만 굴리는 사람이니 아무런 기대를 하지 않는 것이 좋겠습니다.

제5장 눈썹

눈썹을 통해서 그 사람의 인격, 건강, 재물복, 형제운 등을 점칠 수 있습니다. 눈썹은 반드시 눈보다 길어야 귀하며 눈썹 숱이 없거나 답답해 보일 만큼 숱이 많아도 흉합니다. 눈썹이 지저분하게 흩어져 있지 않고 적당한 숱에 눈썹결은 한 방향으로 자라나 있어야 좋습니다. 눈썹은 눈을 지키는 지붕과 같아서 반드시 눈보다 길어야 귀합니다. 눈썹과 눈썹 사이는 손가락 두 개 정도 간격이 좋고 흉터나 잡티가 없어야 하며 깨끗하고 빛이 나야 좋습니다. 만약 눈썹 관상이 약하다면 안경이나 앞머리를 내려 가리거나 눈썹 화장을 통해서 그리거나 다듬어 주는 것이 좋습니다.

눈썹이 없는 관상

　부모나 형제운이 약합니다. 의지가 약하고 우유부단하며 소극적인 유리 같은 정신력의 소유자라서 단체생활이나 직장 생활을 하는 데 있어 큰 어려움이 있을 수 있습니다. 성격이 온순하지만, 정이 없고 자신밖에 모르는 이기적인 사람이 많으며 성질이 급하고 욱하는 버릇이 있어 방구석 여포일 확률이 높습니다. 뭐든 성급함 때문에 일을 망치고 후회하는 경우가 많습니다. 눈썹이 없으면 재산을 지키지 못한다는 해석도 있습니다.

　이런 외모를 가진 직장 상사는 소극적이고 타인에게는 크게 관심이 없는 타입입니다. 팀워크보다는 단독으로 활동하는 걸 즐기기 때문에 부하 직원에게는 아무런 관심도 없을 것입니다. 성격적으로 유약해 사실 누굴 챙길 여력이 안 됩니다. 특이점은 유약함 속에 사악한 분노가 잠들어 있었으니.. 직장 상사에게 거슬리는 행동이나 말을 했다간 직장 생활이 엉망으로 꼬일 수 있으니 항상 조심해야 합니다. 만만한 상대는 절대 아닙니다.

눈썹이 연한 관상

  내성적이고 우유부단하여 의지가 약합니다. 말재주는 좋으나 사람들과 잘 어울리지 못할 수 있습니다. 부모, 형제복이 약하며 혼자하는 것에 특화되어 있습니다. 눈썹이 연하지만 눈썹이 눈보다 훨씬 길다면 총명하여 공부로 성공할 확률이 높습니다. 재물운이 약하며 가족도 등한시하는 고독한 학자들에게서 많이 보이는 눈썹이기도 합니다.

  이런 외모를 가진 직장 상사는 천재형에 가깝습니다. 무슨 일이든 혼자서 척척 해냅니다. 문제는 답답할 만큼 융통성이 없는 대쪽같은 사람이 많아서 자신의 소신과 명예를 매우 중요시한다는 것입니다. 목에 칼이 들어와도 자신의 소신을 지키다 보니 회사 생활을 하다 고집을 부리며 윗사람과의 마찰이 잦을 수 있습니다. 이런 직장 상사와 함께 일한다면 명예는 얻을 수 있을지언정 출세나 금전적인 성과와는 멀 수 있습니다. 성공보다는 명예를 선택하는 사람입니다. 성향만 비슷하다면 최고의 파트너가 될 수 있습니다.

눈썹이 길고 두꺼운 관상

　사람이 호탕하고 행동력이 좋습니다. 머리보다 몸이 먼저 나가는 타입이라서 판단이 빠르지만 그만큼 생각이 짧아 항상 문제가 생겨 고생할 수가 있으니 신중할 필요가 있습니다. 기본적으로 사람들에게 자상하고 잘해주기 때문에 어딜 가든 인기가 좋습니다. 눈썹이 눈을 누르는 것처럼 가깝고 답답해 보일 만큼 두껍다면 융통성 없고 이기적일 만큼 독단적인 폭군과 같아 흉하게 봅니다.

　이런 외모를 가진 직장 상사가 직속상관이라면 시작이 좋습니다. 매너가 있고 포용력이 좋은 **훌륭한 리더**입니다. 문제는 노는 것도 좋아하고 돌발행동도 잘해 크고 작은 문제를 달고 살기 때문에 어디로 튈지 모릅니다. 싸움도 피하지 않는 타입이라서 동료들과 싸움도 잦은 편입니다. 그래도 내 사람이라고 생각하는 부하 직원은 격하게 아낍니다. 성격도 좋고 일도 잘해 회사에서 나름 인정받는 직장 상사를 만난 것이니 운이 좋다고 볼 수 있겠습니다.

눈썹이 짧고 진한 관상

　타인에 대한 배려심이 부족하며 무뚝뚝하고 괴팍한 성격이 많습니다. 활력이 넘치고 타인과 경쟁하는 걸 즐깁니다. 그 누구의 말도 들으려 하지 않는 황소고집을 가지고 있어 좋은 기회나 도움까지 날려버리기 일쑤죠. 주위 사람들과의 마찰이 잦아 적이 많고 충동적으로 한번 마음먹은 일은 반드시 해야 직성이 풀리는 성질이 있는데 이것이 정말 잘 풀리면 고집 있는 사업가라 불릴 수도 있겠습니다. 하지만 대부분은 신중하게 준비도 안 된 상태로 뭘 해보겠다고 주위 사람들을 괴롭히기 때문에 가족들이 매우 곤란할 수 있습니다. 어딜 가나 성질 때문에 대인관계가 좋지 않고 재산도 잘 지키지 못해 경제적인 어려움이 늘 따를 수 있습니다. 형제, 배우자 복도 약하여 고독할 수 있습니다.

　이런 외모를 가진 직장 상사는 고집불통에 부하 직원을 막 대하므로 부하 직원으로서는 직장 생활이 힘들 수밖에 없습니다. 성격이 급하고 다혈질이라 비위를 맞추는 게 정말 쉽지 않을 것입니다. 깊은 생각보다는 지금, 이 순간 느낀 감정이 세상에서 가장 중요한 사람이라 회사 윗사람이든 뭐든 상관없이 들이받습니다. 함께 무언가를 해보려다 사건에 휘말린다든가 해서 본의 아니게 회사에서 미운털이 박힐 수 있으니 항상 안전거리를 유지하는 것이 좋겠습니다.

눈썹이 비대칭인 관상

관상은 균형과 조화를 중요시합니다. 어느 부위든 비대칭은 좋지 못합니다. 이런 비대칭 눈썹은 사람들 눈치를 잘 살피는데 불운한 환경에서 자랐을 확률이 높습니다. 자신의 감정을 잘 숨기고 웬만해서는 속내를 잘 드러내지 않습니다. 부모복, 형제와의 인연이 약할 수 있으며 인생의 기복이 매우 심해서 크게 성공하거나 크게 망하는 경우가 많습니다.

이런 외모를 가진 직장 상사는 인생이 고단하여서 주위까지 챙길 여력이 없을 것입니다. 처세술이 좋아 회사에서 자신의 몫은 반드시 하므로 평판은 좋을 수 있으나 속을 알 수 없는 사람이니 가까이하지 않는 게 좋습니다. 괜히 가까워졌다가 분위기에 휩쓸려 1+1 패키지로 나락을 갈 수 있으니..

눈썹이 뒤로 갈수록 두껍고 진해지는 관상

부모와 형제 덕을 보기는 힘들 수 있으나 자신의 노력으로 출세하는 대기만성형 관상입니다. 초년부터 크게 고생하며 허송세월을 보낼 수 있으나 늦은 나이에 출세해 남부럽지 않게 살아가는 사람들을 종종 볼 수 있습니다.

이런 외모를 가진 직장 상사는 회사에서 평판은 나쁘지 않을 것입니다. 특별할 것 하나 없이 성실하게 일하는 평범한 동료이지만 나이를 먹을수록 운이 상승하는 타입이라 반드시 자신의 능력을 인정받는 날이 올 것이니 곁에 두어 나쁠 건 없습니다.

눈썹이 뒤로 갈수록 가늘어지거나 연해지는 관상

부모와 형제 복이 좋아 초년부터 승승장구할 수 있습니다. 어려움이 닥칠 때마다 도움을 받게 될 것입니다. 자신의 이익에 지나치게 집착하며 충동적인 모습을 보여주기도 합니다. 일을 벌이는 것을 좋아하지만, 끝이 늘 좋지 못합니다. 나이가 들어가며 점차 운이 하락해서 하던 일이 잘 풀리지 않아 고생할 수 있습니다. 경제적인 어려움이 생기면서부터 인간관계, 부모, 형제와의 관계도 나빠지게 되며 말년에 고독할 수 있습니다.

이런 외모를 가진 직장 상사는 초년에는 잘 풀리지만, 중년부터 운이 약해지게 되니 장기적으로 볼 때 직장 상사와 가깝게 지낸다 해도 득이 되진 않을 것입니다. 노력보다는 도움을 통해서 여유롭게 살아가며 큰 어려움 없이 풀려 왔기 때문에 오만한 성격일 확률이 높습니다. 목표에 대한 집착이 강해 충동적이고 이기적인 면이 있어 주위 사람들을 힘들게 하는 안하무인과 같습니다. 부하 직원으로서는 치켜세워 주기만 하면 되니 비위 맞추기에는 그리 어렵지 않을 수 있습니다.

눈썹이 가느다란 관상

조용하고 소극적이며 신중한 타입입니다. 우유부단하고 소극적인 탓에 본인에게 온 기회를 놓치고 후회를 잘하며 마음이 약해 부탁을 쉽게 거절하지 못합니다. 사기꾼에게 피해를 볼 수 있으니 항상 경계해야 합니다. 섬세하고 다정해 인간관계는 좋으나 허영심이 심하여 허튼 곳에 돈을 버리는 경우가 많습니다. 변덕과 끈기가 부족해 끝맺음이 좋지 못하며 이성에 관심이 많아 이성 관계로 고생하는 경우가 많습니다.

이런 외모를 가진 직장 상사는 부하 직원이 불편하지 않게 친절히 잘 대해 줍니다. 이미지 관리를 중요시하기 때문에 타인의 눈을 극도로 의식하여 남들 앞에서는 큰소리 내는 것을 싫어하며 질책 또한 잘하지 않는 방목형 스타일입니다. 겉으로 봤을 때는 부하 직원을 잘 챙기는 좋은 직장 상사 같지만 실상 우유부단하고 소극적이라 책임지고 앞에서 끌어주는 것이 약합니다. 믿고 의지했다가 괜한 피해를 보거나 실망할 일이 많을 것입니다. 든든한 내 편보다는 중립적인 스타일입니다.

눈썹 시작 부분이 역방향인 관상

어릴 때부터 반항심과 고집이 엄청나게 강해 깊이가 있는 사고 뭉치일 확률이 높습니다. 어디서든 사람과의 대립이 잦고 한번 마음먹으면 쉽게 뜻을 굽히지 않는 강한 소신이 있어 아무리 가까운 사이라 해도 마지못해 져주는 일 따윈 없습니다. 그 때문에 누구와도 쉽게 등을 집니다. 반항심과 고집 때문에 직장을 오래 다니지 못하여 불안정한 삶을 살아갈 수 있습니다. 운이 좋게 잘 풀린다면 자신과 뜻이 맞는 사람들의 우두머리가 되어 이름을 떨치게 될 것입니다.

이런 외모를 가진 직장 상사는 업무능력 하나는 정말 탁월하지만, 변덕이 심하고 성질이 고약하여 회사에서 문제아일 확률이 높습니다. 부하 직원 처지에서는 비위를 맞추는 게 정말 힘들 수 있겠습니다. 기본적으로 불만이 많아 회사 생활에 대한 열정이 금방 식어 버립니다. 아무리 친분을 쌓고 잘한다 해도 트러블은 피할 수 없고 홀연히 회사를 떠나게 될 확률이 높습니다.

눈썹 끝이 갈라진 관상

변덕이 심하고 다혈질 성격으로 어릴 때부터 골목대장 짓을 하며 문제를 일으키고 다니는 사고뭉치 꿈나무일 확률이 높습니다. 형제 부모운 같은 인복이 약하여 인간관계 역시 좋지 못할 수 있습니다. 쾌락적인 중독에 약하고 이성에게 관심이 많아 인생에서 이성은 늘 끊이지 않지만 고독할 수 있습니다. 운의 기복이 심해 살아가며 시련이 많이 찾아오고 욕심을 부리다 일을 그르치는 경우가 많습니다. 욕심은 줄이고 화를 다스리는 것이 필요하겠습니다.

이런 외모를 가진 직장 상사와는 최대한 엮이지 않는 게 좋습니다. 업무능력은 뛰어나지만, 변덕이 심해 비위 맞추기도 힘들고 이성 관계도 복잡해 최대한 공과 사를 구별하는 게 좋습니다. 붙어 다니다가 무슨 사건에 휘말려 있을지 모르는 일입니다.

눈썹이 짧은 관상

생각이 짧고 성격이 급할 수 있습니다. 인간관계에서 크고 작은 마찰이 끊이지 않아 주위에 사람들이 적고 인복과 재복이 약해 재산을 지키는 게 어려울 수 있습니다. 반드시 눈썹은 눈보다 길어야 재산도 잘 지키고 귀하다 봅니다. 부모, 형제복도 없을 수 있고 살아가며, 많은 시련이 찾아와 고통받으며 일생이 고독합니다. 오직 자신의 노력을 통해 자수성가해야 합니다. 눈썹이 짧아도 눈빛과 눈썹의 기세가 좋게 생겼다면 크게 출세하는 것도 가능합니다.

이런 외모를 가진 직장 상사가 직속상관이라면 부하 직원 처지에서 큰일 난 것입니다. 이 사람은 사소한 것 하나하나 그냥 넘어가는 법이 없습니다. 스파르타 하게 부하 직원을 몰아붙이고 괴롭히며 일을 알려줄 것인데 그나마 위안을 찾자면 업무를 전수해 주는 속도만은 그 어떤 상사보다 빠를 것입니다. 빠르게 배우는 만큼 비교적 빠르게 회사 신입 티를 벗을 수 있겠습니다. 이 직장 상사는 성격이 또 문제입니다. 비위를 맞추기 가장 힘든 스타일로 기분에 따라 행동하고 말을 막 뱉는 기분파이기 때문에 회사에서 함께 있으면 정신적인 황폐함을 느낄 수 있겠습니다.

눈썹이 반듯한 일자 관상

　꼬장꼬장하고 고지식한 외골수가 많습니다. 남들이 뭐라 하든 나는 내 소신껏 한다는 생각을 가지고 살아가기 때문에 사회에서 인정받는 능력자가 많지만, 인간관계에서 크고 작은 마찰이 잦아 고독할 수 있습니다. 타고나길 성실하고 부지런해 늦은 나이에라도 크게 성공하는 사업가들에게서 많이 보이는 눈썹이지만 주위 사람들의 조언이나 만류에도 고집만 부리다가 인생 전부를 크게 잃어버리는 경우도 많으니, 충고나 조언을 귀담아들어야 합니다. 귀는 항상 열고 있는 것이 나락을 피하는 길이기도 합니다.

　이런 외모를 가진 직장 상사는 고지식하고 타협이나 배려심이 없어 나를 따르라 모드로 업무를 진행합니다. 팀워크에는 약하지만, 그 사람의 능력을 최대치까지 끌어올릴 수 있도록 환경 조성을 잘합니다. 독불장군이지만 일을 굉장히 잘하는 사람입니다. 회사 윗사람들은 능력 있는 직원이라고 예뻐하겠지만, 부하 직원들은 고생할 수 있습니다. 무슨 일이든 자신의 소신대로 행동하기 때문에 사실상 위아래도 없는 사람입니다. 주위 동료들이 싫어하는 사람들이 많을 수 있으나 사람이 악한 것은 아닙니다.

눈썹이 끊어진 관상

변덕이 심하고 멍하게 공상하는 걸 좋아합니다. 엉뚱한 행동을 잘하고 직장이 자주 바뀌어 정착하지 못하며 방황하다 허송세월을 보낼 수 있습니다. 재물운도 좋지 못하여 재산 또한 잘 지키지 못할 가능성이 있습니다. 부모 형제와의 연이 아주 약해 고독합니다. 아이디어나 창의력이 뛰어나 예술 분야에서 많이 보이는 눈썹이기도 합니다. 노력보다 항상 결과가 좋지 않아 무슨 일이든 쉽게 포기해 버리는 것이 단점입니다. 타고나길 재주가 좋아서 끈기와 노력을 통해 얼마든지 자수성가할 수 있습니다.

이런 외모를 가진 직장 상사와는 충분한 안전거리를 확보해 두고 지내는 것이 좋겠습니다. 유머러스하고 재밌는 사람이지만 정을 잘 주지 않고 속내를 잘 드러내지 않아 속을 알 수 없는 사람입니다. 꾀가 많고 간사해 평판이 그리 좋지 못할 것입니다. 뜬금없는 기행도 많이 하고 책임감이 부족한 면이 있어 옆에 있다간 득보다 실이 클 수 있습니다.

눈썹이 검날처럼 날카로운 관상

꼰대라는 소리를 들을 만큼 고지식하지만, 법 없이도 살 만큼 정직하고 도리에 어긋나는 행동은 하지 않아 과거 신하의 상이라 불렸습니다. 눈썹이 너무 거칠고 지저분하다면 성격이 매우 흉포하여 해로운 관상으로 봅니다. 항상 깔끔하게 다듬는 것이 좋습니다. 이런 눈썹은 성격이 드세고 싸움을 피하지 않는 호불호가 있는 타입이라서 그를 좋아하거나 싫어하는 두 가지 부류만 존재한다고 봐도 무방합니다. 초년운이 약하지만 부단한 노력과 끈기로 전문 분야에서 자수성가하는 사람이 많습니다.

이런 외모를 가진 직장 상사는 재미없고 일만 하는 꼰대 스타일에 과격하고 거친 성격이라 상대하기 어려운 사람이지만 옆에서 보고 배울 점이 많은 사람입니다. 행동력과 의지가 강해 무슨 일이든 포기하지 않는 노력파에 가깝습니다. 책임감과 결단력도 좋아서 통솔력이 좋은 편입니다. 부하 직원 처지에서는 조금 피곤하겠지만, 정석적으로 일을 배우고 싶다면 옆에 붙어서 롤 모델로 삼아 업무를 배우는 걸 추천합니다.

눈썹이 엉망으로 지저분한 관상

변덕이 엄청나게 심하고 이기적이며 충동적입니다. 남들 말을 들으려 하지 않는 고집을 가진 사고뭉치, 어디 가서도 무리생활에 잘 적응하지 못하며 직장을 자주 옮겨 다니기 때문에 경제적으로나, 정신적으로 안정적인 삶을 살아가기 힘들 수 있습니다. 부모 형제 복이 약하기 때문에 고독한 삶을 살아갈 확률이 높으며 누구의 도움도 받기 어려워 반드시 자신의 힘으로 자수성가해야 합니다. 나름 독창적이고 예술적 감각이 뛰어나 특정 분야에서 뛰어난 두각을 드러내는 경우가 많습니다.

이런 외모를 가진 직장 상사는 성격이 괴팍하고 괴짜스러운 짓을 많이 하여 직장 동료와 마찰이 잦을 수 있습니다. 부하 직원 처지에서는 사실상 위험인물로 보는 게 좋습니다. 항상 거리를 유지하며 자신의 약점을 보여줘선 안 됩니다. 언제 이용당할지 모르니 말입니다. 회사에 입사해 보니 직속상관이 이런 눈썹이라면 직장생활 시작이 영 좋지 못한 것입니다.

눈썹이 초승달처럼 생긴 관상

　침착하고 지혜로우며 인자하여 성품이 좋습니다. 섬세하고 감성적이라 어디서든 환영받고 인기가 많습니다. 인복이 좋아 어려움을 잘 극복하며 윗사람들의 예쁨을 한몸에 받습니다. 어린 나이에 출세하기 좋으며 부모, 배우자, 자식복이 좋아 부귀를 누리지만 이성문제가 복잡하여 고생할 수 있습니다. 이성에게 괜한 오해가 싹트지 않도록 적당한 친절을 베푸는 게 좋겠습니다.

　이런 외모를 가진 직장 상사는 인격, 지성, 능력 뭐 하나 빠지는 게 없는 이상적인 직장 상사의 표본과 같습니다. 능력도 출중한데 사람을 다루는 것에 능숙하여서 되려 부하 직원들의 기분을 살피고 맞춰주기까지 하는 좋은 직장 상사입니다. 바람기만 뺀다면 말이죠.

눈썹이 삼각형인 관상

성격이 매우 괴팍하고 거칠지만, 책임감이 강하고 실행력이 좋습니다. 어떤 상황에서도 자신의 소신대로 밀어붙이는 우직함의 소유자가 많습니다. 성격과 고집 때문에 집안에 폭군일 확률 또한 높습니다. 어떠한 악조건에서라도 묵묵하게 자신을 발전시키는 노력형 인간입니다. 어디서든 능력을 인정받는 경우가 많습니다. 속칭 일 중독, 일벌레라 불릴 만큼 자신이 하고자 하는 일에 물불을 가리지 않고 파고듭니다. 이 때문에 자신에게 소중한 사람들에게 소홀해 일생이 고독할 수 있습니다. 자신의 성공도 중요하지만, 늘 자신의 곁을 지켜주는 사람들에게 잘해야 합니다.

이런 외모를 가진 직장 상사는 일에 대한 열정이 대단합니다. 회사 안과 밖이 너무 다른 사람이기도 합니다. 일에 반쯤 미쳐 살기 때문에 업무적으로는 믿고 따르기에 나쁘지 않지만, 남들이 쉴 때 퇴근할 때도 남아서 일하는 광기를 보여주기 때문에 부하 직원이 업무 처리 속도를 따라가려면 직장 생활이 힘들어질 수 있습니다. 매우 스파르타 한 직장 생활이 예상됩니다.

눈썹이 긴 관상

　성격이 온화하고 정이 많은 부드러운 성격의 소유자가 많습니다. 사람 자체가 어른스럽고 점잖습니다. 섬세하게 주위 사람들을 잘 챙겨 인기가 많으며 대인관계가 좋습니다. 머리가 좋고 학문과 인연이 깊어 사업보다는 공부를 통해 출세해 사회적 지위가 높은 사람들이 많습니다. 부모, 형제운이 좋아 화목한 가정을 꾸리고 살아갈 확률이 높습니다.

　이런 외모를 가진 직장 상사는 훌륭한 인생 멘토이자 직장 내 롤모델로 삼아도 손색이 없습니다. 유머 감각은 부족해 분위기를 싸하게 만들거나 너무 사람들을 챙겨서 귀찮게 하는 게 단점이라면 단점이라고 볼 수 있습니다. 생각 자체가 깊고 신중합니다. 머리도 좋아 웬만해서는 실수를 잘하지 않습니다. 괜찮은 직장 상사이니 믿고 따르며 일을 배우면 됩니다.

눈썹 끝이 올라가 화난 거 같은 관상

남들과 경쟁하는 걸 좋아하며 승부욕이 매우 강해서 지는 것을 죽기보다 싫어합니다. 일상이 전투모드 상태라서 그냥 넘어갈 법한 일도 크게 만들어 한바탕해야 직성이 풀립니다. 살아가며 크고 작은 싸움이나 트러블이 정말 많습니다. 불같은 성격 덕분에 추진력이 좋아 마음먹은 일은 반드시 해야 직성이 풀립니다. 장점이자 단점이기도 한, 공격적인 성격 때문에 크게 성공한 사업가들에게서 많이 보이는 눈썹이기도 합니다. 매사에 너무 자기중심적이고 거칠어 주위에 사람이 많지 않아 고독할 수 있습니다.

이런 외모를 가진 직장 상사는 거친 성격에 남들을 배려하지 않는 사람이라서 부하 직원 처지에서는 내가 뭘 잘못했나 미운털 박힌 건가 하는 걱정을 하게 될 수도 있으나 예민하고 거친 성격에 비해 뒤끝이 없는 쿨함을 가지고 있습니다. 기분파라서 좋을 때는 한없이 받아주는 천사로 있다가 심기를 건드는 일, 일명 발작 버튼이 눌리면 아무도 말릴 수 없는 미친개로 돌변합니다. 비위를 맞추기 상당히 까다로운 타입입니다. 늘 경계하고 조심해야 합니다.

눈썹 끝이 아래로 쳐진 팔자 관상

유머 감각이 좋고 성격이 서글서글해 친화력이 매우 좋습니다. 남들과 대립하거나 경쟁하는 걸 싫어하는 평화주의자이고 감성적인 성격이 많습니다. 머리도 좋고 재주도 뛰어나 무슨 일이든 기대 이상으로 해냅니다. 재물복은 나쁘지 않으나 기분파에 남들 눈을 지나치게 의식하는 타입으로 과시나 사치 혹은 기분에 따라 허튼 곳에 과소비를 해버리는 바람에 돈을 아무리 많이 벌어도 깨진 독에 물 붓기와 같아 재물이 쌓이지 못합니다. 부모, 형제복이 약해 가족과의 마찰이 있으며 집착이 심해 결혼생활을 유지하는 게 어려울 수 있어 고독할 수 있습니다.

이런 외모를 가진 직장 상사는 사람 자체가 느긋하고 상대를 편하게 대해 줍니다. 순하고 우유부단해 보이지만, 책임감이 강하고 독립적인 성향을 가지고 있어서 업무를 계획적이고 추진력 있게 해냅니다. 부드러운 카리스마 그 자체, 믿고 따를만한 좋은 직장 상사입니다. 즐거운 직장 생활만이 남아 있겠네요.

눈썹이 누에가 누워있는 모양처럼 생긴 관상

눈썹의 생김새가 독특하다 보니 아무 생각 없이 있어도 뭔가 비범해 보이는 특징이 있습니다. 재주가 많고 머리 쓰는데 능해서 판단력과 처세술이 뛰어납니다. 자신이 하고 싶은 일이라면 무슨 일 있어도 해야 하고 좋은 성과를 보여주는 경우가 많습니다. 직업운이 좋고 기회를 잡는 능력 또한 뛰어나서 비교적 남들보다 어린 나이에 이름을 떨치거나 크게 성공하는 사람이 많은 귀한 상입니다.

이런 외모를 가진 직장 상사와 함께 일하는 것은 횡재한 것과 같습니다. 지혜롭고 용감해 리더의 자질을 타고났고 업무적으로는 흠 잡을 곳이 없을 만큼 훌륭합니다. 옆에 꼭 붙어서 사소한 것 하나까지 놓치지 않고 보고 배운다면 사회생활을 하는 데 있어서 큰 도움이 될 것입니다. 공적이든 기회가 왔다. 생각이 든다면 무슨 일이든 함께 해보세요.

눈썹과 눈 사이가 먼 관상

묘하게 멍하고 순해 보이는 것이 특징입니다. 경계심을 풀게 하는 외모 덕분에 인기도 많고 사람들도 잘 따릅니다. 공상이나 멍때리는 걸 즐기며 매사에 여유가 있고 온화한 성격이 많습니다. 사람을 쉽게 믿고 유혹에 약해 이성 문제나 사기꾼과 엮여 고생할 수 있습니다. 부모복과 인복이 좋아 큰 유산을 물려받거나 출세의 기회가 많습니다. 배우자 복도 좋은 편입니다. 장기 투자 안목이 특출나게 좋아 장기적인 투자가 필요한 부동산 운이 특히 좋은 편이라서 부동산 투자로 성공한 땅 부자가 많습니다. 눈썹과 눈 사이 부위를 관상에서 땅, 부동산 재물을 뜻합니다. 저곳이 두툼하면서 넓다면 그만큼 복이 있다. 해석됩니다.

이런 외모를 가진 직장 상사는 멍해 보여 허당처럼 보이지만 겉모습과는 다르게 함께 일하다 보면 "도대체 이 사람 뭐지?" 하는 의문이 들 만큼 특유의 업무 센스를 가지고 있습니다. 남다르게 돈 냄새를 맡는 능력과 눈썰미가 정말 좋아서 직장 혹은 개인적인 투자를 통하여 크게 성공하기 쉽습니다. 친분을 쌓아서 뭘 하고 지내는지 무엇에 관심이 있는지 눈여겨보며 고급 정보를 얻는 것도 좋습니다.

눈썹과 눈 사이가 가까운 관상

비관적인 성격에 예민하고 신경질적인 완벽주의자 성향이 많습니다. 부모복이 약하거나 가정환경이 불운한 경우가 많아 어려서부터 고생을 할 수 있습니다. 누군가의 도움보다는 자신의 힘으로 자수성가해야 하는 운명에 가깝습니다. 부동산 복도 약하여 불안정한 삶을 살아갈 확률이 크다고 전해지지만, 그것은 다 옛말! 이런 관상이 현대 시대상에서는 이상적인 미인의 상에 가까워 매력적이고 아름다운 미모를 가진 연예인들에게서 많이 보이는 특징이기도 합니다. 매력적인 외모 덕분에 인간관계에서 인기가 많습니다. 특히 남들 앞에 서야 하거나 대중들의 사랑을 받아야 하는 연예계 쪽에서 잘 맞는 관상입니다.

이런 외모를 가진 직장 상사는 언제 어디서든 자신을 증명하고 싶어 하는 사람입니다. 성격이 보통이 아니고 반항심까지 가지고 있어 누구든 자신의 앞길에 방해된다면 싸움을 피하지 않습니다. 업무에서 꼼꼼하고 완벽을 추구하기 때문에 본인뿐만 아니라 주위 사람들까지 엄청나게 피곤할 수 있습니다. 폭주 기관차처럼 투자와 노력을 아끼지 않기 때문에 팀의 성공과 발전을 원한다면 고통스럽겠지만 믿고 따르는 게 좋겠습니다.

눈썹 뼈가 돌출된 관상

자존심과 고집이 세며 간섭받는 걸 극도로 싫어합니다. 신체 능력이 뛰어나고 호탕하며 외향적인 성격이 많습니다. 몸을 쓰는 군경이나 운동선수 같은 직업군에서 두드러지게 보이는 관상이기도 합니다. 간섭받는 걸 싫어하는 반항아 기질과 개성이 강해 누구 밑에서 일하는 데 있어서 큰 어려움이 따를 수 있습니다. 활동적인 에너지를 잘못 발산한다면 폭력성으로 나타나거나 여기서 더 나아간다면 범죄로까지 이어질 수 있습니다. 일생을 마음을 다스리는 데 힘써야 하는 관상입니다.

이런 외모를 가진 직장 상사는 과묵해 보여도 무서운 발톱을 숨기고 있을 확률이 높습니다. 업무능력도 뛰어나고 회사에서 평판은 나쁘지 않으나 개성이 강해 호불호가 분명하게 갈립니다. 크게 두 가지 부류의 직장 상사로 갈리는데 하나는 부하 직원을 가족처럼 아끼는 호탕한 직장 상사 또 다른 하나는 사탄도 울고 갈 성격이 파탄 난 미친개... 안타깝게도 대부분은 후자의 직장 상사가 많습니다.

눈썹에 점이 있는 관상

　관상학에서는 우리 신체에 보이지 않게 숨겨진 점을 귀하다 해석합니다. 눈썹 속에 숨겨진 점 역시 매우 귀한 점이라 해석됩니다. 이런 관상은 의지가 강하고 두뇌 회전이 빠릅니다. 공부에도 흥미가 있어서 공부를 통해 자수성가하는 경우가 많습니다. 기회를 잡는 능력이 탁월하여 어린 나이에 출세하는 사람들이 많은 것도 특징입니다. 재물복과 출세운이 좋아 남부럽지 않은 안정적인 삶을 살아가게 됩니다.

　이런 외모를 가진 직장 상사는 재물복과 출세운이 좋아 무슨 일이든 기대 이상으로 해내는 비범한 인물일 가능성이 큽니다. 타고난 재능과 명석한 두뇌 덕분이겠지만 이상하게 하는 일마다 잘 풀리니 곁에서 업무를 배우며 친분을 쌓아 두는 것도 나쁘지 않을 것입니다.

제6장 미간

눈썹과 눈썹 사이 미간을 통해서 재물복, 지혜, 인격, 직업운, 학업운 등을 알 수 있으며 관상을 볼 때 눈만큼 눈여겨봐야 하는 중요한 곳입니다. 눈썹 사이의 간격은 손가락 두 개 정도의 너비가 좋습니다. 미간에 흉터나 주름이 없어야 하며 살짝 두툼하고 밝게 빛을 띤 미간을 귀하게 봅니다.

미간이 깨끗하고 적당하게 넓으며 밝은 빛이 나는 관상

 귀하고 이상적인 미간입니다. 유복한 가정에서 태어나 사람들에게 많은 사랑을 받으며 살아가게 될 확률이 높습니다. 타고나길 머리가 좋고 지혜롭습니다. 성격이 좋아 주위에 적이 없습니다. 진취적이고 통찰력이 남달라 실패를 잘하지 않는 편입니다. 또한, 어떠한 어려움이 온다 해도 반드시 방법을 찾아 극복하는 재주가 있습니다. 시험 운과 성공운이 좋아 원하는 학교에서 직장까지 남들보다 수월하게 합격해 평생을 승승장구하며 잘 풀린다고 봅니다.

 이런 외모를 가진 직장 상사는 성격부터 능력까지 뭐 하나 빠지는 게 없는 회사에서 알아주는 에이스일 것입니다. 부드러운 카리스마로 상대를 최대한 배려하며 앞에서 이끌어주는 이상적인 리더에 가깝습니다. 이런 직장 상사와 가까이에서 함께 일한다는 것은 대단한 행운을 잡은 것입니다.

미간이 눈썹으로 이어져 있거나 좁은 관상

　이런 미간은 미용상 보기 좋지 않을뿐더러 관상에서도 흉하다 해석합니다. 아마 어릴 때 유인원이나 원시인이라는 놀림을 받았을 법한데.. 실제 관상 해석도 그러합니다. 성격이 괴팍하고 눈치가 없으며 속이 좁은 사람이 많습니다. 감정 기복이 심하고 이해심이 부족하며 사람들과의 마찰이 잦고 매우 이기적이라 주위 사람들이 고생할 수 있습니다. 그 때문에 일생이 고독합니다. 고집은 센데 끈기와 책임감은 부족하여 거슬리는 게 있다면 참지 않고 욱하는 성격으로 매번 직장을 때려치우기 일쑤입니다. 직장이 자주 바뀌고 안정적인 삶과 거리가 있어 경제적인 어려움을 겪을 수 있습니다. 흉한 미간을 가졌다 낙담하지 마세요. 눈썹 사이를 다듬어 주는 것만으로도 관상학적으로 좋아질 수 있습니다. 눈썹과 눈썹 사이 간격은 답답해 보이지 않게 손가락 두 마디 정도가 좋습니다.

　이런 외모를 가진 직장 상사는 생각이 짧고 성격이 포악해 어떠한 이해나 배려도 기대하지 않는 것이 좋습니다. 별거 아닌 일에도 예민하게 굴며 큰소리를 내는 경우가 많으니 최대한 실수를 줄이려는 노력이 필요하겠습니다. 이기적이고 속이 좁아서 옆에 있어서 득을 보기 힘든 사람입니다. 회사에서든 사적으로든 엮이면 피곤할 수 있으니 최대한 피하는 게 상책입니다. 넌지시 직장 상사에게 눈썹을 한번 다듬어 보라는 권유를 해보시는 것도 좋겠습니다.

미간이 넓은 관상

자유분방하고 이해심이 많습니다. 상대의 기분을 살필 줄 아는 낙천적인 타입이라서 사람들에게 인기가 많고 대인관계가 좋습니다. 사람이 너무 좋아 자칫 가벼워 보일 수 있습니다. 자기주장보다는 양보하는 걸 선호해 자기 주관이 약하고 추진력이 부족한 게 흠이지만 타고나길 낙천적인 사람이라서 현실에 만족하며 살아갑니다. 유혹에 약해 사기로 금전적 손해를 입거나 이성의 유혹에 넘어가 바람을 피워 주위 사람들에게 큰 실망을 안겨주는 경우가 많아 일정 주기마다 망신, 금전, 인간관계에 위기가 찾아올 수 있으니, 사람을 항상 경계하는 것이 좋습니다.

이런 외모를 가진 직장 상사는 낙천적이고 느긋한 성격의 소유자로 부하 직원을 잘 챙기는 포용력 좋은 직장 상사입니다. 웬만한 실수는 웃고 넘기며 뒤끝도 없는 편입니다. 다만 금전적으로 궁핍할 수 있어서 급하게 돈을 빌려 달라고 하거나 투자 목적으로 돈을 빌려 달라고 할 수 있는데 절대로 빌려주어서는 안 됩니다. 미간이 넓은 직장 상사 앞에서는 돈 자랑은 금물입니다.

눈썹 사이 미간 중앙에 세로 주름이 있는 관상

세상 예민하고 신경질적인 까다로운 성격이 많습니다. 운의 기복이 심해 살아가다 무수히 많은 시련이 찾아올 수 있고 인간관계, 배우자, 가족운이 좋지 못해 무엇하나 쉽게 이루어 내는 게 없습니다. 타고나길 의지가 강해 자신이 하고자 하는 일에는 모든 것을 올인하여 몰두하기 때문에 자수성가하기 좋습니다. 여러 분야에서 크게 성공한 유명인들에게 많이 보이는 주름이기도 합니다.

이런 외모를 가진 직장 상사는 회사에서 신중하고 꼼꼼하게 일 잘하는 에이스이지만, 부하 직원 처지에서는 최악의 직장 상사와 다름없을 것입니다. 예민하고 까다롭고 괴팍하고.. 특히 주위 사람들에게 희생을 강요하기도 합니다. 부하 직원이 하는 일이 성에 차지 않을 시 못살게 굴어 피를 말려 버립니다. 직장 상사에게 이해나 협조 같은 건 기대하지 않는 게 좋을 것입니다. 마음을 단단히 먹고 직장 생활에 임하시길 바랍니다. 각오하세요.

미간에 점이나 흉터가 있는 관상

점 같은 경우 보기에는 부처상에 있는 점과 같아서 귀하게 보이지만 관상학에서는 미간 사이 뭐가 있다면 부정적으로 해석합니다. 운의 기복이 크고 불안하여서 하는 일마다 잘 풀리지 않습니다. 중간이 없는 운을 지녀 크게 성공하거나 크게 실패해 빚더미에 앉는 사람이 많습니다. 재물복이 약하고 재물에 크게 관심이 없는 사람이 많고 직업이 자주 바뀌는 게 특징입니다. 재물에 크게 연연하지 않는 종교인이나 예술가에게 적합한 관상입니다. 특이한 것은 사건·사고에 잘 휘말리기도 합니다. 인복은 나쁘지 않으나 바람기가 있어 결혼생활을 유지하기 힘들 수 있으며 평생을 고독하고 불안정한 삶을 살아갈 수 있습니다.

이런 외모를 가진 직장 상사는 낙천적이고 밝은 성격이지만 자기중심적이고 구속당하는 걸 극도로 싫어하는 자유로운 영혼이 많습니다. 외로움을 잘 타고 혼자서는 능력을 잘 발휘하지 못합니다. 어느 정도 업무능력이 따라왔다면 옆에서 열심히 보조하며 도와주는 게 좋습니다.

미간에 두 개의 세로 주름이 있는 관상

신경이 예민하고 생각이 많습니다. 직관력이 좋아 문제 해결 능력은 좋으나 사소한 것을 그냥 지나치지 못해 걱정거리가 항상 따라다닙니다. 심적인 고통으로 인한 신경성 질병이 있을 확률이 높습니다. 인생에 우여곡절이 많지만, 남들보다 성공하기 쉽고, 승진 기회를 웬만해서는 놓치지 않습니다. 많은 생각이 필요한 직종에 적합하다 볼 수 있습니다.

이런 외모를 가진 직장 상사는 성격이 왜 저럴까 하는 의문이 생길 만큼 안 좋지만, 사고력과 판단력이 좋아 업무적으로는 완벽한 모습을 보여줍니다. 직장 생활은 고통의 시간이겠지만 될 수 있으면 친분을 쌓아 업무적으로 함께 하는 것이 자신을 발전시키기에 좋습니다.

미간에 세 개의 세로 주름이 있는 관상

몹시 예민하며 신경질적이라 항상 화가 나 있는 것처럼 보이는 것이 특징입니다. 갑자기 미간에 이런 주름이 생겼다면 하던 일이 잘 풀리지 않거나 사적인 일로 큰 어려움으로 고생을 할 수 있습니다. 외적으로 보기와는 다르게 걱정이 많고 소심한 구석이 있어 별 것 아닌 사소한 것부터 일어나지도 않은 앞일까지 가지고 와 걱정하므로 일생이 정신적으로 고통스러울 수 있습니다.

이런 외모를 가진 직장 상사는 완고한 성격이며 남의 말을 듣지 않는 독불장군 스타일입니다. 목표를 향해 포기하지 않는 추진력을 가지고 있어 회사에서 제법 인정받는 인재일 확률이 높습니다. 물론 일을 하는 와중에 사람들과의 마찰이 잦습니다. 무서워 보이는 외모와는 다르게 순진하고 무른 구석이 있어 난이도가 낮은 직장 상사입니다. 정직하고 받은 은혜는 잊지 않는 사람이니 믿고 따르다 보면 좋은 결과가 있을 것입니다.

미간에 주름이 불규칙하게 많은 관상

잔걱정이 지나치게 많아 일생동안 정신적으로 큰 고통을 겪고 있을 확률이 높습니다. 건강이 좋지 못하며 하는 일도 잘 풀리지 않아 근심 걱정이 더욱 커질 수 있습니다. 고집은 강하지만 자신감이 없어 항상 의기소침한 모습을 보여주는데 이것이 모성애를 자극해서인지 이성에게는 인기가 많은 편입니다. 신중하고 생각이 많아 행동력이 다소 떨어지지만, 신중에 신중을 기하다 보니 인생에 실패가 적어 남들보다 출세하기 좋습니다.

이런 외모를 가진 직장 상사는 섬세하고 예민한 성격 때문에 사람에게 정을 잘 주지 않아 함께 일하기 쉽지 않은 타입입니다. 다행인 것은 아주 꽉 막힌 사람은 아니라서 주위 사람들의 말에 귀를 기울일 줄 아는 사람입니다. 업무에는 요령을 피우거나 대충이란 있을 수 없는 고지식한 면을 가지고 있어 어딜 가서든 인정받는 모습을 보여줍니다. 근심 걱정이 많아 음침하고 우울함이 느껴질지 모르지만, 결코 악한 사람은 아닙니다.

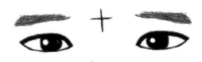

미간에 십자가 주름이 있는 관상

이마에 십자가 주름이 있다면 행운과 번영을 상징하여 귀하다 여겨지지만, 미간 사이에 있는 십자가 주름은 좋다 해석하지 않습니다. 초년부터 고통의 연속입니다. 기회를 잘 잡지 못하고 하는 일마다 잘 풀리지 않습니다. 무슨 일이든 결실을 보기 힘들어 좌절하기 일쑤입니다. 그 어디 하나 마음을 둘 곳도 잠시 머물다 갈 곳도 없어 늘 초조하고 불안하여 일생이 괴로움의 연속입니다.

이런 외모를 가진 직장 상사는 하루하루가 바람 잘 날이 없는 고통의 연속일 것입니다. 하는 일마다 잘 풀리지 않아 예민하고 신경질적이기 때문에 옆에서 함께 일하기에 난이도가 상당히 높습니다. 언제 무슨 일이 터질지 모르는 사람이니 항상 한 발짝 물러서서 피해에 휩쓸리지 않도록 보조만 해준다는 생각으로 옆에 있는 게 좋습니다. 금전적인 부탁은 무조건 피하는 것이 좋습니다.

미간에 가로 주름이 있는 관상

　미간에 가로 주름이 갑자기 생겼다면 인생에 큰 시련이 생겼다. 해석됩니다. 운에 기복이 심하며 건강운과 재물복이 약해 병으로 고생하거나 경제적인 어려움으로 빈곤한 생활을 할 확률이 높습니다. 미간에 가로 주름이 많을수록 근심 걱정이 많으며 오지랖이 넓어 참견하는 걸 좋아합니다. 유순한 성격이 많아 사기를 당하거나 사람들에게 이용당하기 일쑤라서 본인뿐 아니라 주위 사람들까지 끌어들여 고통스럽게 할 수 있습니다.

　이런 외모를 가진 직장 상사는 모두에게 친절해 부하 직원이라 할지라도 귀 기울일 줄 아는 사람입니다. 결단력도 있고 리더의 자질도 있지만, 이상하게 일이 꼬여 낭패를 보는 상황이 많이 발생해, 능력을 인정받지 못하는 경우가 많을 것입니다. 사람은 좋으니 잘 지내보는 게 좋습니다. 크게 득을 보기는 힘들더라도 덕을 쌓는다고 생각하시는 게 좋겠습니다.

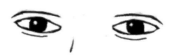

제7장 눈

눈은 마음의 창이라는 말이 있을 만큼 눈을 통해서 그 사람의 내면을 들여다보는 것이 가능합니다. 관상학에서 눈은 성품이나 정신, 건강, 성공 등 평생 운세와 매우 관련이 깊습니다. 그 때문에 관상에서 눈이 차지하는 비중이 엄청납니다. 아무리 좋은 관상을 타고 났다 하여도 눈의 생김새 혹은 눈빛이 흉하다면 전부 꽝이나 다름 없다고 할 만큼 눈은 관상에서 매우 중요한 부분입니다. 눈은 가로로 길고 검은자위 흰자위의 흑백이 분명하며 눈동자가 맑아야 합니다. 눈빛이 선하고 총기를 띄고 있어야 귀하다 봅니다.

고양이 눈 관상

고양이 눈은 고양이의 눈처럼 눈꼬리 끝이 위로 치켜 올라간 큰 눈을 말합니다. 여성에게서 두드러지게 보이는 눈이기도 한데 이런 눈을 가진 사람은 얌전하고 조용합니다. 외모적으로 기가 세고 사나워 보이지만 실상은 4차원 자신만의 세계를 가지고 있어 살짝 맹합니다. 감정의 기복이 심하고 예민하여 까다롭습니다. 타고나길 부지런하고 무슨 일이든 최선을 다하는 것이 큰 장점입니다. 인간관계에는 이중적인 면이 강하고 유리 같은 멘탈 때문에 주위 사람들을 힘들게 하는 타입에 가깝습니다. 미용상으로는 매력적이고 아름다운 눈이라서 이성에게 인기가 많아 살아가며 이성이 끊이지 않지만, 그 이성 때문에 고생할 수 있겠고, 결혼 운이 좋지 않습니다.

이런 외모를 가진 직장 상사는 남들과 어울리는 단체생활보다는 혼자 있는 것을 좋아하며 단독으로 일하는 걸 좋아하고 잘합니다. 외모에서 풍기는 포스가 대단해서 다가가기 쉽지 않아 보이지만 생각보다 순수한 매력도 가지고 있습니다. 한마디로 정의하자면, 매력적인 사이코라 부르는 게 좋을 거 같습니다. 현재의 기분 상태에 따라 태도가 시시각각 달라지고 이중성도 강해 음흉한 속내를 예상조차 하기 어려운 사람이니 한시도 긴장을 늦춰서는 안 됩니다. 힘든 직장 생활이 예상됩니다.

물고기 눈 관상

　물고기 눈의 특징은 눈동자 아래 흰자가 많이 보이며 눈빛에 생기가 없고 탁한 왠지 모르게 기분 나쁜 느낌을 줍니다. 눈을 돌려 어떤 곳을 응시할 때는 눈동자를 움직이지 않고 고개를 돌려서 보는 것도 특징입니다. 이런 눈을 가진 자는 건강운과 재물복이 약하며 초년부터 큰 어려움을 겪을 확률이 높습니다. 행동이 어리석고 생각이 짧아 어릴 때부터 크고 작은 사고를 치고 다닙니다. 이기적이고 책임감도 없어, 가족이나 가까운 지인들을 괴롭게 할 수 있으며 노력보다는 요행을 바라기에 남을 속이거나 심한 경우 범죄까지 저지르는 일도 있습니다.

　이런 외모를 가진 직장 상사가 내 눈앞에 있다면 당황하지 말고 침착하게 짐을 싸서 당장 도망쳐!!

눈이 위로 치켜 올라간 관상

눈이 치켜 올라가 있으면 외적으로 사납고 강해 보이는 인상을 주는데, 어느 정도 맞습니다. 똑 부러지는 명랑한 성격이 많고 자존심과 자기주장이 강합니다. 추진력과 기회를 포착하는 능력이 좋고 자신의 강점을 잘 활용할 줄 아는 사람이기 때문에 남들보다 비교적 빠르게 자리를 잡거나 출세하는 경우가 많습니다. 넘치는 자신감 때문에 오만해 보이기도 합니다. 심기를 거스르면 참지 않는 성격이라서 타인에게 상처가 되는 말이나 폭력적인 모습을 보여줄 수 있습니다. 다행스러운 것은 뒤끝이 없습니다. 승부욕이 강해 경쟁하는 곳에서 빛을 발휘하는 타입입니다. 특히 체육계나 군경 직업군에서 많이 보이는 눈이기도 합니다.

이런 외모를 가진 직장 상사는 일 잘하고 리더십 있는 능력자일 확률이 높습니다. 성격이 보통이 아니지만, 비위만 잘 맞춰주면 이런 천사가 또 없습니다. 자기주장은 최대한 접어 두고 직장 상사의 뜻에 맞춰주는 쪽으로 직장 생활을 하신다면 평화로운 직장 생활이 기다리고 있을 것입니다.

눈이 붉은빛이 돌고 촉촉한 관상

도화안 눈 화장법으로 유행하기도 했었습니다. 눈의 생김새는 둥글고 살짝 처져 있으며 눈이 촉촉하고 붉은빛이 도는 신비롭고 묘한 매력을 가진 눈입니다. 이런 눈에 눈웃음까지 쳐준다면 상대는 마성의 매력에 빠져 헤어 나올 수 없을 것입니다. 성격이 감성적이면서 열정적이라 어딜 가서든 예쁨과 인정을 받습니다. 매력적인 외모 덕분인지 끊이지 않는 이성 관계에 일생을 고생할 수 있습니다. 자신을 꾸미는 걸 좋아해 사치와 허영심이 매우 강하여 끝없는 재물과 사랑을 갈망하게 되는데 어떤 이성을 만나느냐에 따라서 인생이 크게 좌우됩니다. 과거에는 이런 눈은 가진 여성을 음란하다. 기생 같은 걸 하는 눈이라 하여 천하게 여겼지만, 현대적인 해석으로는 대중들 앞에 나서야 하거나 많은 사람에게 사랑받는 귀한 눈이라 보는 게 적당하겠습니다.

이런 외모를 가진 직장 상사는 개방적이고 가식이 없는 성격을 가지고 있어 서글서글하게 먼저 마음을 열고 다가와 줄 것입니다. 인간관계뿐만 아니라 재주가 많아 직장 내에서 에이스일 확률이 높을 것입니다. 부하 직원을 잘 챙겨주고 매력적인 사람이지만 회사 밖 사적으로 엮이지 않는 것이 좋습니다. 특히 이성 문제나 금전적인 거래가 오간다면 크나큰 고통을 받을 수 있으니 조심해야 합니다.

눈꼬리 끝이 아래로 내려간 관상

눈꼬리가 처진 사람은 성격이 내성적이며 신중합니다. 타고나길 낙천적이고 여유가 넘칩니다. 세심하고 유순해 대인관계가 좋은 편이고 잔머리가 비상해 임기응변에 능합니다. 자존심이 강하지만 굽힐 줄도 아는 사람이기도 합니다. 양보와 포용력이 좋으며 강한 끈기를 가지고 있어 무슨 일이든 자신의 가치를 증명하여 남부럽지 않은 안정적인 삶을 살아가는 이들이 많습니다. 단점을 꼽아 보자면 결혼운이 좋지 않고 외로움을 많이 타 바람기가 강한 편입니다. 눈꼬리가 심하게 처져 있다면 중년이 넘도록 허송세월을 보내거나 심하게 우유부단해 무엇하나 스스로 결정을 내리지 못하는 사람이라고 봅니다.

이런 외모를 가진 직장 상사는 뛰어난 업무능력과 더불어 배려가 기본적으로 깔렸습니다. 신중하면서 관찰력이 좋아 아닌척하면서 상대를 분석하고 있을 확률이 높습니다. 분석 결과에 따라 평생 이미지로 굳어질 수 있으니, 초반에는 긴장을 늦추지 않는 것이 좋겠습니다. 일 잘하고 성격도 좋으니 믿고 따라도 될 만한 좋은 A급 직장 상사입니다. 단 이성 관계가 복잡할 수 있어 사적으로는 엮이지 않는 것이 좋습니다.

눈이 앞으로 돌출된 관상

지병이 없는데도 보기에 눈이 살짝 튀어나온 것처럼 보이는 사람들이 있습니다. 이런 눈은 관찰력이 뛰어나 일머리가 좋고 눈치가 빨라 어딜 가든 뛰어난 처세술로 위기를 기회로 바꾸는 능력자입니다. 타고나길 재주가 출중해 안정적으로 재물을 모으는 게 가능합니다. 성격이 개방적이고 활동적이라서 틀에 박힌 걸 잘 참지 못하며 변덕이 심하고 충동적이라 자잘한 사고를 잘 치고 다니기 때문에 주위에 사람이 적어 고독합니다. 책임감이 약한 것이 흠입니다.

이런 외모를 가진 직장 상사는 남들 앞에서는 좋은 사람처럼 보이지만 얌체같이 자신의 실속을 챙기는 타입에 가깝습니다. 변덕이 심하고 주제넘게 나서는 짓을 잘합니다. 성향 자체가 자기중심적이다 보니 오만해 보이기도 합니다. 자신의 출세를 위한 도구로 이용만 당하다 버려질 수 있으니 최대한 엮이지 않도록 경계하며 거리를 두는 것이 좋겠습니다.

움푹 들어간 눈 관상

건강에 특별한 이상이 없는데도 아픈 것처럼 평소에 눈이 푹 꺼진 사람들이 있을 것입니다. 이런 눈을 가진 사람들은 경계심과 조심성이 많아 항상 신중하게 행동합니다. 성격은 조용하고 예민한 편입니다. 표현력과 사교성이 좋지 못한 폐쇄적인 성향에 가까워 단체생활에 어려움을 보이며 자신과 마음이 맞는 소수의 사람만 연락하고 가까이 지냅니다. 참을성이 좋고 자신의 소신에 따라 묵묵히 노력하기 때문에 대기만성형에 가까워 훗날 인정받는 삶을 살아가게 됩니다. 성공운이 약한 편에 속하지만, 욕심이 많아 성공을 위해 물불을 가리지 않고 노력할 것입니다.

이런 외모를 가진 직장 상사의 첫인상은 뭔가 음침하고 무서워 보이지만 참을성이 좋고 잔소리도 잘 하지 않아 업무를 배우기 좋습니다. 큰 실수를 하더라도 이해하고 받아들이는 쿨함을 지니고 있습니다. 문제는 부족한 사교성과 과할 정도로 신중하고 잔걱정을 많이 하므로 성과나 기회를 잘 잡지 못해 회사에서 능력을 인정받지 못할 확률이 높습니다. 항상 예민하니 알아서 비위를 맞추며 잘 따르는 게 좋습니다.

눈두덩이가 두툼한 관상

활력이 넘치고 고집과 자기 소신이 매우 강해 어떠한 시련도 극복할 수 있는 뚝심을 지니고 있습니다. 누가 무슨 말을 하더라도 흔들리지 않는 강한 의지를 갖춘 만큼, 한번 마음먹으면 그 고집을 꺾는 것이 불가능에 가깝습니다. 땅이나 건물 관련 부동산 복이 좋아 풍족한 삶을 살아갈 확률이 높고 배우자복도 좋습니다. 욕망과 정력이 매우 강하다고 알려졌습니다. 너무 심하게 두툼하면 흉하다 봅니다. 욕구가 끝이 없어 자신의 욕망에 눈이 멀어 화를 입는 경우가 많습니다.

이런 외모를 가진 직장 상사는 업무능력은 뛰어나지만, 욕심과 고집이 보통이 아니라서 독단적으로 일을 벌여 동료와의 마찰이 잦아 주위 사람들을 힘들게 할 것입니다. 직장 생활이 순탄하진 않지만, 일 중독으로 능력은 인정받을 것입니다. 일 욕심만큼 이성에게도 관심도 많아 복잡한 관계가 되어 고생할 것이 아니라면 사적인 연락은 피하는 게 좋습니다.

양쪽 눈이 비대칭인 짝눈 관상

　사람의 얼굴은 완벽한 대칭이 드뭅니다. 한눈에 봐도 유별나게 양쪽 눈이 다른 짝눈을 말하는 것입니다. 짝눈을 가진 사람은 속내를 알 수 없고 겉과 속이 다른 이중성을 가지고 있어 마음만 먹으면 누구든 치밀하게 준비해 속이는 음흉한 사람이라고 볼 수 있습니다. 책략가 유형으로 교활하고 처세술이 좋아 손해를 보는 일은 잘 피해 가며, 재물도 잘 모아 남부럽지 않게 살아갈 확률이 높습니다. 인격적으로는 문제가 있을 수 있어 중년 이후 운이 꺾이며 바람을 피우거나 주위의 사람들에게 상처를 주는 일이 잦아 고독할 수 있습니다. 마음만 바르게 먹는다면 타고난 재주를 활용해 부와 명예를 얻을 수 있는 귀한 상이라 볼 수 있습니다.

　이런 외모를 가진 직장 상사는 함께 지내기는 편하고 좋으나 속에 뭐가 들어앉아 있는지 알 수 없고 편협한 사고방식을 가지고 있어 직장 내에서 문어발식 바람을 피우거나 언제 갑자기 배신할지 모릅니다. 웬만하면 자신의 깊은 속내까지 보여주는 건 좋지 않습니다. 항상 선을 긋고 안전거리를 유지하는 걸 추천해 드립니다.

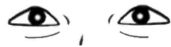

삼각형 형태의 눈 관상

눈꺼풀 위가 올라가 마치 눈의 형태가 삼각형으로 보이는 눈을 말하는데 이런 눈은 의심이 많고 분석력이 뛰어나 치밀한 성격을 가지고 있습니다. 자신에게 이득이 없다 판단되면 10원짜리 한 장 쓰지 않으며 관심조차 주지 않는 유형입니다. 욕심이 많고 집념과 집착이 강해 자신이 하고자 하는 일이 다른 사람들에게 피해가 간다고 해도 크게 신경도 쓰지 않는 냉정함을 가지고 있습니다. 재치도 있고 눈썰미가 좋아 재주는 뛰어나지만, 인복도 부족하고 중년 이후까지는 운이 잘 풀리지 않아 하는 일마다 결과가 만족스럽지 않을 수 있습니다..

이런 외모를 가진 직장 상사는 업무적으로는 흠잡을 곳이 없으나 자신의 이익을 절대적으로 추구하는 사람이다 보니 업무적으로 뒤처진 사람들을 가만두지 않습니다. 자신의 사적인 시간까지 투자해 일을 가르쳐 줄 것입니다. 사실 자신에게 피해가 가지 않게 하려는 의도이긴 하지만.. 정말 꼬인 사람은 자신의 성공을 위해 타인의 희생도 강요하기 때문에 부하 직원은 그저 희생양 그 이상 그 이하도 아닙니다. 낌새가 이상하다면 도망치세요.

큰 눈 관상

　어릴 적 왕눈이라 놀림을 한 번쯤 당해보셨을 만큼 커다란 눈의 소유자는 다정하고 공감 능력이 좋아 사람들에게서 인기가 많습니다. 개방적이고 시원시원한 성격이라 뒤끝이 없고 명랑하며 선한 사람이 많습니다. 타고나길 섬세하고 예민해 정신적인 불안함을 품고 있습니다. 끈기가 부족하고 남들 눈을 심하게 의식해 실패와 좌절에 쉽게 무너지는 것이 약점입니다. 또한, 이성에게 인기가 많은 것이 오히려 독이 되어 이성 문제로 고생할 수 있습니다. 허영심이 강해 남들 앞에 나서길 좋아하며 빛나고 화려한 것을 찾다 보니 남들 앞에 나서는 직업군 특히 연예인을 하기에 적합한 눈입니다. 문제는 마음이 너무 여리기에 항상 정신적인 고충이 따를 것입니다.

　이런 외모를 가진 직장 상사는 날개 없는 천사일 확률이 높습니다. 이해심 많고 잘 챙겨주는 따뜻한 사람입니다. 업무적으로는 산만하고 게으르며 시간 대부분을 자기 외모 꾸미는 데 쓸 것입니다. 남들 눈에 자신이 어떻게 비칠지만 신경 쓰느라 업무적으로는 꽝일 확률이 높습니다. 그런데도 회사에서의 평판은 좋은 게 함정.. 사람은 좋아서 옆에 있으면 커피 한 잔이라도 얻어먹을 수 있습니다. 친분을 쌓아서 손해 볼일은 없습니다.

눈이 작은 관상

눈은 작고 길어야 귀합니다. 이런 눈은 조용한 성격이 많습니다. 자기 보호 의식이 강해 경계심이 강하며 의심이 많고 신중합니다. 사람을 신중하게 사귀는 편이라 친해지는 데 많은 시간이 필요합니다. 어느 선을 지키며 오랜 시간 지켜보다가 다가가도 될지를 정하는데 한번 친해지면 말도 잘하고 유머 감각도 있는 사람입니다. 타고나길 뛰어난 관찰력과 끈기를 무기로 무슨 일이든 한 우물만 파서 성공하는 사람들이 많으며 시야가 좁다 보니 다른 것에 한눈을 팔지 않아 정말 끝장을 봅니다. 개천에서 용 난다는 것에 용이 될 수도 있는 눈입니다.

이런 외모를 가진 직장 상사는 겉으로 강한 인상을 주는데 의외로 매우 겸손하고 얌전해 상대가 누구든 편하게 대해 줍니다. 편하게 대해 준다고 하여 만만하게 보고 까불다가는 큰일 날 수 있습니다. 내가 존중해 주는 만큼 너도 날 존중해야 한다는 무언의 압박이 담겨 있으니까요. 이해심이 좋은 편에 속하지만, 눈이 너무 작으면 관대함도 작다 해석됩니다. 심기만 건들지 않는다면 너무나 좋은 직장 상사임은 틀림없습니다.

양쪽 눈이 가까이 붙은 관상

성격이 소심하고 급하지만, 집중력과 센스가 좋아 무슨 일이든 잘하는 재주꾼입니다. 기본적으로 사람을 잘 믿지 않고 폐쇄적인 특성이 있습니다. 독립심이 강해 모든 일을 스스로 혼자서 하는 것을 선호하며 계산적이고 교활해 대인관계에서도 신중하게 사람을 검증하고 가려서 인간관계를 맺는 타입입니다. 무언가에 집중하고 파고드는 능력이 대단하지만, 사업에는 맞지 않는 눈이기도 하며 재치 있는 유명인이나 자신의 재주를 활용해 성공한 사람들에게서 많이 보이는 눈이기도 합니다.

이런 외모를 가진 직장 상사는 눈썰미와 정보력이 좋아 소위 뒤통수에도 눈이 달렸다는 말이 이 사람에게서 나온 게 아닌가 하는 의심이 들게 할 것입니다. 내가 무슨 짓을 하고 무슨 말을 했는지 모두 다 알고 있을 것이니 항상 말조심은 물론이고 행동 하나하나를 조심해야 합니다. 예민하고 짜증을 잘 내서 비위를 맞추기가 쉽지 않아서 난이도가 제법 있는 직장 상사입니다. 질투심과 뒤끝도 심해서 심기를 거스르는 행동은 삼가는 게 좋습니다. 한번 찍히면 직장 생활이 파국으로 치닫는 모습을 볼 수 있으니 최대한 잘 보여야 합니다.

양쪽 눈이 멀리 떨어진 관상

낙천적이고 자유분방한 성격이라 누구와도 잘 지내는 편안함을 주는 사람입니다. 사람들과의 경쟁이나 대립을 싫어하고, 추진력과 자기 주관이 약해 무슨 일을 하더라도 순조롭지 않아 누군가의 손을 빌려야 뭐가 진행됩니다. 사람 자체가 태평해 누군가에게 끌려다니는 것에도 만족하며 살아갑니다. 유혹에 약하고 사람을 잘 믿어 크고 작은 사건·사고를 치는 편이지만 기본적으로 인내심이 좋아 끈기와 노력이 필요한 기술직 같은 직종에서 많이 보이는 눈이기도 합니다.

이런 외모를 가진 직장 상사는 이해심이 좋고 상대를 편하게 해주는 타입으로 웬만한 사고는 조용히 수습해 줄 만큼 천사표 직장 상사입니다. 부하 직원을 주도적으로 이끄는 것은 성격적으로 힘든 부분이지만 팀의 전체적인 분위기 조성이나 중재자로서 능력은 매우 뛰어나 회사에 꼭 필요한 존재와 같습니다. 축하합니다. 행복한 직장 생활을 예상해 볼 수 있겠습니다.

졸려 보이는 눈 관상

살아가며 귀에 딱지가 앉을 만큼 듣게 되는 소리, 지금 졸리니? 눈에 힘 좀 주고 다녀 같은 말을 자주 들었을 이런 눈은 타인과의 싸움이나 경쟁을 극도로 싫어하는 평화주의자가 많습니다. 온화하고 친근한 성격이지만 사람 자체가 가벼워 믿음직스럽지 않습니다. 건강운이 약하여 몸 쓰는 일에 적합하지 않고 의지와 인내심이 약해 무언가를 하겠다는 야망이나 추진력도 부족한 편입니다. 한곳에 정착하지 못하고 직장을 자주 옮겨 다녀 불안정하고 외로운 삶을 살아가게 될 확률이 높습니다.

이런 외모를 가진 직장 상사는 외적으로는 조용하고 차분한 분위기를 뿜어내지만 내면은 천진난만한 어린이와 같습니다. 진지함이 부족해 늘 말실수나 돌발행동으로 사고를 치는 일이 많아 망신당하기 일쑤이다 보니 상급자로서의 위엄이 많이 떨어집니다. 사람은 선하고 참 좋은데 자기 앞가림도 힘들어 보일 만큼 무기력한 모습도 가지고 있어 회사 생활을 버티는 것도 버거울 것입니다. 리더십은 부족할지 모르나 사람은 좋아서 나름 괜찮은 직장 상사입니다.

봉황 눈 관상

관상학에서 최고의 눈으로 알려졌습니다. 생김새는 눈이 가늘고 길며 눈 끝이 살짝 올라가 있는 모습이고 눈동자가 칠흑처럼 매우 어둡고 눈 흰 자가 맑고 빛이나 흑백이 분명합니다. 눈빛에서부터 총명함이 느껴지는데 타고나길 머리가 좋고 재능을 타고나 어딜 가서든 남들보다 돋보여 최고의 자리에 앉게 됩니다. 매력적인 외모 덕분에 이성운이 좋고 타고난 인복으로 순조롭게 살아가며 하는 일마다 잘 풀려 크게 성공하고 말년까지 부귀하다고 여겨집니다. 관상을 제대로 배우지 않은 이들이 보기에는 용눈과 비슷해 헷갈리는 경우가 많은데 용눈이 봉황눈 보다는 못하지만, 봉황눈 다음으로 부귀하다고 여겨지니 알아두면 좋으실 거 같습니다.

이런 외모를 가진 직장 상사는 성격이 예민하고 호기심이 많아 엉뚱하면서 쾌활합니다. 정이 많아 상대를 배려할 줄 알고 편하게 대해 줄 것입니다. 타고난 좋은 머리 덕분에 남다른 업무능력을 겸비해 직장 내에서 최고로 인정받는 경우가 많습니다. 잘난 사람이니 봉황의 눈을 가진 직장 상사에게는 최대한 잘 보여 눈에 드는 것이 좋습니다. 봉황이 날개를 펴고 저 하늘 위로 날아 버리기 전에 말입니다.

소 눈 관상

둥글고 큰 눈에 속눈썹이 돋보이는 눈의 형태를 하고 있습니다. 순해 보이는 인상을 주는데 실제 이런 눈을 가진 사람은 선합니다. 책임감도 강하고 인내와 끈기가 좋습니다. 우직함과 성실함이라는 무기로 어떠한 고난에도 견뎌내며 반드시 성공하는 대기만성형 타입입니다. 사람을 만날 때는 진심으로 대하기 때문에 주위에 사람이 많습니다. 문제는 사람 말에 쉽게 휘둘려 가까이하는 사람의 영향을 크게 받는 특성이 있습니다. 사기로 큰 손해를 보거나 심하면 범죄의 길로 들어서는 경우가 있으니 특히 사람을 가려 만나야 합니다. 인복과 재물복도 좋은 귀한 눈입니다.

이런 외모를 가진 직장 상사는 약간 우유부단해 늘 손해를 보는 경우가 많아 믿음이 가지 않을 수 있으나, 사람을 대하는 데는 계산 따윈 하지 않는 솔직하고 선한 사람입니다. 인격적으로 **훌륭**하고 업무적으로도 배울 점이 많은 모범적인 직장 상사의 표본이라 볼 수 있습니다. 믿고 따르셔도 좋습니다.

원숭이 눈 관상

둥글고 살짝 올라간 눈동자와 눈꺼풀에 잔주름이 있는 것이 원숭이 눈의 외적인 특징입니다. 원숭이 눈은 타고나길 유머러스하고 사람들과 어울리는 것을 좋아합니다. 센스가 좋고 능글맞은 구석이 있어 적응력이 좋습니다. 무슨 일이든 빠르게 자신의 것으로 만드는 능력이 있으며 어떠한 역경이 찾아온다고 하더라도 슬기롭게 헤쳐 나갈 수 있는 지혜를 가지고 있습니다. 출세와 명예에 대한 강한 욕망을 품고 있어 이기적인 면이 있지만, 부단한 노력으로 자신을 발전시키는 특성이 있으며 노력한 만큼 언제나 좋은 결과가 따라옵니다.

이런 외모를 가진 직장 상사는 자신에게는 한없이 엄격하고 신중하지만, 타인에게는 그렇지 않습니다. 권위 의식이 없어 부하 직원을 편하게 대해 줄 것입니다. 업무능력이야 두말할 나위가 없으며 특히 문제 해결 능력이 정말 최고입니다. 사람 자체가 무게가 없고 가벼워서 말실수나 짓궂을 수는 있으나, 남을 부려 먹기보다는 자신이 솔선수범해 앞장서 문제를 해결하는 믿음직한 리더의 상입니다.

뱀 눈 관상

눈꺼풀이 살짝 처져 있고 눈에 핏줄이 불거져 나와 있어 무섭고 사나워 보이는 인상을 줍니다. 이런 눈은 자존심이 강하고 의지력이 강합니다. 무슨 일이든 치밀하게 계획을 세우고 움직이는 타입이라서 무서운 면을 가지고 있습니다. 이기적이며 간사해 신뢰할 수 없는 사람이 많고 남을 이용하려는 성향이 강합니다. 윤리의식이 부족하며 극단적인 사고방식을 가지고 있어, 가족을 포함한 주변 사람을 자신의 이득을 위해 희생시킬 수도 있는 냉혹한 사람입니다. 욕망에 끝이 없어 깨진 독에 물을 붓는 것과 같아, 행복과 만족을 모르는 불행한 자들이 많습니다.

이런 외모를 가진 직장 상사는 차갑고 오만한 성격을 가지고 있어 인격적으로 문제가 많을 확률이 높습니다. 팀보다는 자신을 중요시하는 독립적인 사고를 가지고 있습니다. 경쟁심이 매우 강해서 남들이 자신보다 잘 나가는 꼴을 보지 못합니다. 찍히면 고통의 나날은 피할 수 없을 것이니 최대한 자신을 낮추고 몸을 사리는 것을 추천합니다. 될 수 있으면 가까이하지 않는 게 최선으로 보입니다. 부당한 업무 지시나 괴롭힘, 사적인 부탁을 해온다면 주변 사람들에게 알리고 도움을 요청하십시오. 나를 건들면 안 된다는 광기를 한번 보여주는 게 회사 생활에 도움이 될 수 있을 것입니다.

돼지 눈 관상

검은 눈동자가 크면서 흑백이 불분명하고 눈의 흰자위가 흐릿하며 눈 주위는 두꺼워 살짝 튀어나와 있습니다. 흐리멍덩한 인상을 주는 것이 특징입니다. 이런 눈을 가진 자는 성격이 매우 난폭하고 잔인합니다. 이기적이며 탐욕이 엄청나서 다른 사람의 피해 따위는 아랑곳하지 않습니다. 이기심과 탐욕 덕분에 악착같이 남들보다 잘 살 거 같지만, 꼭 그렇지도 않은 것이 재물은 넉넉해질지 모르나 자신의 욕심에 화를 입기 일쑤이며, 평생을 외롭게 살아갈 확률이 높습니다. 뒤를 생각하지 않고 자신의 욕망만을 채우기 위해 행동하는 경우가 많아 범죄에 잘 연루됩니다. 성적 욕구가 특히 강해 변태가 많은 것도 특징이라면 특징입니다.

이런 외모를 가진 직장 상사는 이기적이고 난폭한 성격을 가지고 있어 함께 일하기에 보통 까다로운 것이 아닙니다. 사람을 부리는 걸 좋아하며 남에게 인색합니다. 얌체 같은 회사 생활로 이미 빌런일 확률이 높습니다. 매우 위험한 사람인 경우가 많으므로 어떤 것과도 엮이지 않는 게 좋습니다. 특히 사적인 연락은 반드시 피해야 합니다.

원앙 눈 관상

원앙눈은 전체적으로 눈의 생김새가 둥글고 눈의 흑백이 분명합니다. 눈이 살짝 촉촉한 붉은빛을 띠고 있는 것이 특징입니다. 겉보기에 순한 인상에 깜찍하고 귀여워 보이는 효과도 있습니다. 매력적인 눈이라서 사람들에게 인기가 많아 남들 앞에 나서는 직업 분야에서 출세하기 쉽습니다. 유혹에 약해 사치나 이성 관계가 복잡할 수 있으나 재물복과 부부운이 매우 좋아 평생 부귀하다고 여겨집니다. 유흥이나 바람기로 결혼생활을 파탄 내는 경우가 많으니 타고난 자신의 복을 차버리는 일이 없도록 항상 경계해야 합니다.

이런 외모를 가진 직장 상사는 순해 보이는 인상처럼 세심하게 주위를 잘 챙기고 배려할 줄 아는 정이 있는 사람입니다. 업무적으로 보나 인격적으로 보나 무난하고 좋은 직장 상사이지만 이성 관계와 관련이 깊은 눈이다 보니 이성의 유혹에 빠져 회사 안팎으로 대형 사고를 치는 일이 생겨, 직장 생활에 지장을 줄 만큼 여파가 미칠 수 있으니 적당한 거리를 유지하며 항상 경계하는 게 좋습니다.

동그란 눈 관상

　귀여운 인상을 주는 동그란 형태의 눈은 적극적이고 명랑해서 윗사람들의 예쁨을 받습니다. 단점이라면 성질이 급하고 고집이 셉니다. 기분이나 분위기에 잘 휩쓸려 해서는 안 될 말이나 행동으로 낭패를 보는 경우가 있지만, 특유의 센스가 좋아 어려움을 잘 극복하는 편입니다. 머리도 좋고 책임감도 강해 재물도 제법 잘 모읍니다. 문제는 사람을 잘 믿는 순진한 구석이 있어 사기를 당하거나 이성의 유혹에 넘어가 바람을 피우는 등 인생 난이도를 높이는 경우가 많습니다.

　이런 외모를 가진 직장 상사는 낙관적이고 태평해, 모든 사람과 둥글게 잘 지냅니다. 업무능력도 좋아 회사 내에서 평판이 매우 좋을 것입니다. 쿨해 보이고 밝은 모습의 내면에는 이기적인 강한 탐욕이 잠들어 있어 언제 돌변해 재물이나 출세에 대한 강한 집착을 보일지 모릅니다. 한번 눈 밖에 나면 냉정하게 내쳐질 수 있으니, 항상 깍듯이 해야 합니다.

삼백안 눈 관상 (하삼백안)

삼백안은 눈동자 위나 아래에 있어 세 곳의 눈 흰자위가 보이는 눈을 말합니다. 삼백안에서 동공이 위에 매달려, 눈 흰자위 아래쪽이 드러난 눈을 하삼백안이라 합니다. 외적으로 반항적이고 사나워 보이는 인상을 주지만 하삼백안 특유의 매력이 있어 이성에게 인기가 많습니다. 기본적으로 이런 눈은 자유분방하고 반항심이 넘쳐 하극상도 거리낌 없이 하는 모습을 잘 보여줍니다. 타인에게 무관심하고 이기적인 성향 또한 강합니다. 이상이 높아 목적을 위해서라면 수단과 방법을 가리지 않는 집념을 보여줍니다. 자신의 성공을 위해서라면 타인의 희생에 아무런 죄책감이 없습니다. 관상학에서 하삼백안을 매우 흉한 나쁜 눈이라 해석되지만, 개인적으로 경쟁하는 직업군과 잘 맞고, 공격적인 성향이 잘 풀린다면 크게 성공하는 것도 가능한 잠재력을 지닌 눈이라 볼 수 있습니다.

이런 외모를 가진 직장 상사는 남의 감정에 신경 쓰지 않는 무자비하고 자기중심적인 사람이 많아 사람을 이용해 과시용이나 도구처럼 쓰려고 할 것입니다. 자기 생각이 항상 옳다고 생각하는 사람이라서 회사 내에서 마찰이 잦을 것입니다. 이 사람 밑에서 일하기란 정말 쉽지 않을 것입니다. 자! 당황하지 말고 침착하게 부서 이동이 가능한지 알아보세요.

삼백안 눈 관상 (상삼백안)

하삼백안 보다 보기 드물고 더 흉하다 해석됩니다. 눈 흰자위 좌측과 우측 위쪽이 보이는 눈으로, 눈동자가 밑으로 내려가 있는 눈을 상삼백안이라 말합니다. 시선만으로 거만해 보이고 사람을 내리깔보는 듯한 인상을 주어 첫인상이 좋지 않습니다. 상삼백안은 겁이 많고 소심하여 매우 치밀하고 신중합니다. 비밀이 많은 음흉한 사람이 많으며 잔머리가 좋아 상황 대처 능력이 좋습니다. 변태적이고 잔인한 성격이 많아 다른 사람의 감정에 신경 쓰지 않으며 도구로 이용하려는 성향이 있습니다. 옳고 그름의 판단이 남다른 특성이 있습니다. 그렇다고 모든 게 부정적인 것만은 아닙니다. 야심가 중의 야심가라 할 수 있는 눈입니다. 야심과 출세욕이 집착에 가까울 만큼 강해서 수단과 방법을 가리지 않고 목표를 이루는 능력이 있습니다. 그 욕망이 지나쳐 문제를 만들지만요.

이런 외모를 가진 직장 상사가 보인다면 즉시 도망치는 것이 자신의 미래와 안전을 위해서 좋습니다.

사백안 눈 관상

앞서 나온 삼백안의 상위 호환이라 할 수 있습니다. 부정적인 쪽으로 말이죠. 평생 살아가다 한번 볼까 말까 한 아주 희소한 눈의 형태라 할 수 있습니다. 이런 눈은 정신적으로 문제가 있는 사람이 많으며 고집이 매우 세고 감정적이며 충동적인 성향이 강합니다. 파괴적이고 이기적입니다. 한번 마음먹은 일은 반드시 해야 직성이 풀리고, 배신을 잘하는데, 상황에 따라서 극악무도하고 잔인한 모습을 보여주는 일도 있어 범죄자의 눈이라 말하는 이들도 있습니다. 아무리 흉한 관상이라 하여도 모든 것은 자신의 마음 먹기에 달려 있습니다. 강한 추진력이 있으므로 잘 풀리면 큰 성공도 할 수 있는 눈이기도 합니다.

이런 외모를 가진 직장 상사는 극단적인 성향의 소유자가 많고 불평불만이 많아 누구와도 잘 지내지 못할 것입니다. 인내와 타협이 없는 독단적인 폭군과 같아 주위 사람들이 고생을 많이 하게 될 것입니다. 진짜 건들지 않는 게 좋습니다. 피할 수 없는 상황이라면 새로운 직장을 알아보시는 걸 추천합니다.

사시 눈 관상

　사시란 두 눈동자가 똑바로 정렬되어 있지 않은 상태를 말합니다. 관상에서는 일백안이라고 하며, 눈동자가 밖으로 치우쳐 있으면 외사시, 눈동자가 안쪽으로 치우친 것을 내사시라 부릅니다. 관상에서는 사시눈을 정신적으로 불안정하다고 봅니다. 미적으로 아름다워 보이지 않는 탓인지 남들에게 주목받는 걸 달가워하지 않고 내성적이며, 조용한 사람들이 많습니다. 얌전해 보이는 모습과는 다르게 쾌락적인 것을 좋아하고 음란하며 충동적으로 행동하는 경우가 많아 도박이나 유흥으로 재산을 쉽게 탕진하기도 합니다. 감정 조절을 잘하지 못해 욱하며 폭력을 쓰거나 억지 생떼를 쓰는 경우가 많습니다. 결혼운 또한 좋지 못하고 내사시 보다 외사시를 더 공격적인 성향이 강해 더욱 흉하다 봅니다. 참을성이 부족하고 투쟁적이라 사건·사고를 몰고 다니는 타입이 많습니다. 생각보다 사시는 흔하게 볼 수 있고 사회 각계각층에 사시눈을 가진 성공한 사람들이 많습니다. 자신의 부정적인 것들은 최대한 배제하고 자신의 타고난 장점을 살린다면 누구나 성공을 할 수 있는 것이 아닌가 하는 생각을 해 봅니다.

　이런 외모를 가진 직장 상사는 가까이하지 않는 게 좋습니다. 모두 그런 것은 아니지만 타인에게 금전적이나 육체적으로 피해를 주는 경우가 있으므로 최대한 조심하며 경계하는 게 좋습니다.

놀란 눈 관상

　무언가에 깜짝 놀랐을 때처럼 놀란 듯한 눈을 가진 사람을 본 적이 있으실 겁니다. 이런 눈은 관상에서 건강운이 약해 끈기나 지구력이 약하다 봅니다. 자신감이 없고 왠지 모를 불안감을 항상 가지고 있어 돌발행동을 잘하는 편입니다. 선하고 배려심이 넘쳐 자신이 손해 보더라도 남을 더 챙겨주는 것처럼 보이지만 음흉한 구석이 있어 자신의 이익을 위해서만 철저하게 움직이는 사람입니다. 사람을 믿었다가 고생을 많이 하는데 작은 이익에 눈이 멀어 화를 입는 상황이 많습니다. 끈기 부족과 변덕이 심해 뭐 하나 진득하게 하지 못하는 단점도 있습니다.

　이런 외모를 가진 직장 상사는 착하고 이해심이 넘치는 좋은 사람이기 때문에 부하 직원 처지에서는 이런 천사가 또 없을 것입니다. 하지만 조심하는 게 좋습니다. 필요가 없어진다면 언제든 내쳐질 수 있고 쿨하지 못한 편이라 한번 찍히면 직장 생활이 고달픕니다.

술에 취한 듯한 눈 관상

맨정신인데도 술에 취한 듯 몽롱하고 졸려 보이며 눈동자가 노르스름한 붉은빛이 도는 것이 특징입니다. 쾌락적 욕구가 강하여 이성을 만나도 얼마 못 가 바람을 피우거나 다른 사람의 사랑을 빼앗으려 드는 등의 부적절한 행동을 서슴지 않습니다. 유독 이성에 대한 소유욕이 강한 사람입니다. 그 때문에 집착이나 순간의 실수로 큰 잘못을 하게 되거나 심하면 범죄까지 저지르는 경우가 있습니다. 음탕하고 저속한 성격이 많아 크고 작은 사고들을 많이 칠수 있습니다. 평생 유흥과 방탕한 생활을 이어가기 때문에 경제적인 어려움과 더불어 평생 채워지지 않는 외로움을 가지고 살아갈수 있습니다.

이런 외모를 가진 직장 상사는 가까이하면 금전적으로나, 정신적으로 피해를 봅니다. 돈을 빌려달라 부탁하거나 상대가 이성이라면 사적인 만남을 요구할 수 있으니 애초에 말도 못 꺼내도록 업무 이외에는 철벽을 치며 친분이 쌓일 틈을 주지 않으면서 안전거리를 유지하는 게 좋습니다.

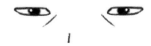

쌍꺼풀이 없는 외꺼풀 관상

언제나 신중하고 관찰력이 좋습니다. 차분하고 예민한 성격의 소유자가 많으며 경제관념이 철저한 편 있습니다. 독립적이고 내성적이며 의지력과 끈기가 좋아 무언가를 하고자 마음을 먹으면 좀처럼 물러서는 경우가 없습니다. 이 때문에 한방에 크게 성공하거나 한방에 폭삭 망하는 사람들을 심심치 않게 볼 수 있습니다. 상대의 감정에 크게 신경 쓰지 않는 타입으로 매우 직설적이지만 웬만해서는 속마음을 잘 표현하지 않습니다. 인간관계에서도 친분을 쌓는 것에 관심이 없습니다. 이성 관계나 결혼생활에서도 역시 마찬가지라서 감정 표현을 잘하지 않거나 직설적으로 말을 뱉어 상대에게 원치 않는 상처를 주기도 하여 예상치 못한 갈등이 자주 발생하여 고독할 수 있습니다.

이런 외모를 가진 직장 상사는 첫인상은 상당히 차가워 보이지만 보기와 다르게 소심하고 내향적인 성격이 많습니다. 수상할 정도로 예리한 구석이 있고 직설적인 화법을 사용해 상대를 당황하게 할 수 있으니, 마음의 준비를 하고 있어야 합니다. 만약 예기치 않은 트러블이 생겨 큰 소리가 오갔다면 큰일 난 것입니다. 화해나 사과를 하지 않고, 냉전 상태로 유지하며 평소와 다를 것 없이 업무를 진행합니다. 성격에 따라서 이 상황이 미칠 듯이 불편할 수 있습니다. 최대한 트러블을 만들지 않는 것이 즐거운 회사 생활을 위해서 좋습니다. 직설적인 화법과 까다로운 성격만 뺀다면 무난하고 좋은 직장 상사입니다.

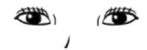

쌍꺼풀이 있는 관상

　과거에는 쌍꺼풀이 있으면 파란만장한 삶을 산다고 해석했지만, 현대적인 시각으로는 전혀 다르게 해석됩니다. 풍부한 감정의 소유자로 섬세하고 매력과 활력이 넘치는 사람이라 보시면 됩니다. 감수성이 풍부하고 자유분방해 열정적인 성격이 많습니다. 사람이 많은 곳을 찾거나 사람 만나는 것을 즐깁니다. 인맥을 넓히는 것은 좋으나 인간관계에서 발생하는 문제로 압박이나 고민이 끊이지 않을 수 있습니다. 말 한마디에도 쉽게 휘둘리고 우유부단함 또한 단점입니다. 이성에게 인기가 많으며 성적 욕구를 잘 참지 못해 쌍꺼풀이 진하면 정력가들이 많다고 전해지며 쌍꺼풀은 두껍거나 많을수록 욕구가 강하다 해석됩니다.

　이런 외모를 가진 직장 상사는 외향적이고 부드러운 성격의 소유자가 많습니다. 약간 별난 구석이 있지만 사람 자체는 나쁘지 않습니다. 감정에 쉽게 사로잡혀 이성적인 사고를 하지 못하고 인내심이 부족해 크고 작은 사고를 치는 유형이라 신뢰감은 부족하나 자신이 맡은 일에 대해서는 열정적인 모습을 보여주기 때문에 업무 파트너로서 함께하기는 좋은 편입니다.

눈꼬리 끝에 긴 주름이 하나 있는 관상

눈꼬리 옆 부위를 일명 부부궁(처첩궁)이라 하여 이곳을 통해 연애나 배우자 부부운 등을 점칩니다. 눈꼬리에 주름은 하나가 정도가 좋고, 주름 하나는 이성과의 궁합이 좋아 평생 가정이 화목하고 안정적이며 행복한 삶을 누린다고 하여 길하게 봅니다. 눈꼬리 주름이 위로 상향한다면 성격은 거칠지만, 복이 있다 볼 수 있으며 밑으로 하향한다면 성격이 온순하지만, 부정적으로 해석합니다.

이런 외모를 가진 직장 상사는 사회생활만큼 가정에도 충실하고 반듯합니다. 사람 자체가 느긋하고 여유가 있으며, 사람들을 잘 챙겨 함께 일하기 괜찮은 직장 상사입니다.

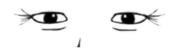

눈꼬리 끝에 주름이 지나치게 많은 관상

오지랖이 넓고 정이 많아 주위 사람들에게 정말 잘합니다. 개방적이며 서글서글한 성격 덕분에 친구도 많고 인기도 꽤 많을 것입니다. 경쟁이나 다툼을 매우 싫어하는 특징을 가지고 있어, 주위에 적이 많지 않습니다. 문제는 심하게 개방적으로 열린 마음 때문인지 이성의 유혹에 쉽게 빠지고 무책임한 성격으로 일탈을 좋아해 이성 문제가 끊이지 않아 연인이나 배우자에게는 좋은 사람이 아닐 확률이 높습니다. 그 때문에 결혼생활은 불행하다 해석합니다. 지은 죄가 있어 가정 내에서 서열이 최하위일 확률이 높습니다.

이런 외모를 가진 직장 상사는 상대에게 편안함을 주는 좋은 사람입니다. 누구와도 사이좋게 지내려 노력할 것입니다. 업무 스타일이 영 좋지 않은데 힘든 일은 피하고 요령을 부리며 얍삽하게 하는 타입이니 업무적인 능력은 기대하지 않는 것이 좋습니다. 또한 상대가 이성이라면 항상 경계를 늦춰서는 안 됩니다. 공과 사를 철저하게 지키며 사적인 만남은 최대한 피하는 게 좋습니다.

눈꼬리 옆에 점이나 흉터가 있는 관상

평소에 불평불만이 많고 고집스러우며 융통성이 부족합니다. 다른 사람의 조언을 잘 받아들이지 못해 자신에게 온 기회를 놓치는 일이 빈번하며, 융통성이 없고 답답한 성격 때문에 사회생활은 물론이고 이성 혹은 배우자와의 불화가 잦아 원만한 결혼생활을 이어가기가 어려워 일생이 고독합니다. 방탕하게 사는 경우가 많아 재산을 잘 모으지 못하며 쾌락주의자가 많다 보니 지나치게 사생활이 문란할 수 있습니다.

이런 외모를 가진 직장 상사는 고집불통 같은 성격으로 주위 사람들을 불편하게 하는 재주가 뛰어나, 함께 일하기에 매우 피곤한 스타일에 가깝습니다. 서로를 위해서 거리를 둘 필요가 있으며 사생활 역시 문제가 있으니 무슨 일이 있어도 사적으로 엮이면 안 됩니다.

제8장 애꿋살

　눈 밑 아래 도톰한 살을 애꿋살이라 부릅니다. 웃을 때 도드라지게 보이는 게 특징입니다. 애꿋살의 생김새를 통해서 그 사람의 인복, 자녀복, 배우자복, 건강운 등을 점칠 수 있는 곳입니다. 이곳의 혈색이 좋고 밝은 빛이 나며 살집이 두툼하고 탄력이 있어야 하며 애꿋살의 경계가 뚜렷할수록 부귀하다 봅니다.

애꾸살이 두툼하고 깨끗한 관상

체력이 좋고 활력이 넘치는 외향적인 사람이 많습니다. 기본적으로 선하고 순한 사람이 많으며 성격이 좋아 어디서든 예쁨을 독차지합니다. 매력적인 외모 덕분에 이성에게 특히 인기가 많고, 배우자 복은 물론 부부 금실이 좋습니다. 세상을 빛내는 귀한 자식들을 얻을 확률이 높고 말년까지 행복한 삶을 누리며 장수하게 됩니다.

이런 외모를 가진 직장 상사는 배려가 기본적으로 깔린 사람이 많아 상대를 편하게 해 주기 때문에 스트레스를 웬만해선 주지 않는 좋은 직장 상사입니다. 재주가 뛰어나고 머리가 좋아 회사에서 꽤 영향력을 가지고 있을 확률이 높습니다. 입사 초반에는 최대한 직장 상사에게 잘 보여서 점수를 따고, 어느 정도 자리를 잡았다면 친분을 쌓아 가깝게 지내는 것이 좋겠습니다.

애굣살이 없는 관상

건강운이 약하며 잔병치레가 잦고 체력적으로 좋지 못할 수 있습니다. 매우 현실적이고 냉정하지만, 낙천적인 타입이라서 작은 것에도 감사할 줄 압니다. 큰 욕심이 없어서 자기 삶에 만족하며 살아갈 확률이 높습니다. 이성에 관한 관심이나 욕구가 약해 부부복과 자식운이 약할 수 있습니다. 연애에 대한 적극성이 부족하여 본인은 괜찮은데 남들 눈에는 일생이 고독해 보일 수 있습니다.

이런 외모를 가진 직장 상사는 좋지도 나쁘지도 않은 무난한 직장 상사입니다. 기대도 실망도 할 필요가 없고, 일을 잘하지도 못하지도 않는 딱 받은 만큼만 일하고 절대 무리하지 않는 실속형 타입의 사람들이 많습니다. 어떻게 보면 롤모델로 삼아야 하는 이상적인 직장인에 가깝다 볼 수 있겠습니다.

애굣살이 검푸르거나 지저분한 관상

　건강에 문제가 있으면 애굣살의 피부색이 어둡게 변하기도 하는데, 매사에 부정적이고 속을 알 수 없는 음흉한 성격이 많습니다. 이성 문제가 끊이지 않고 하는 일마다 잘 풀리지 않을 수 있습니다. 충동적이고 쾌락적인 삶을 즐겨 유흥이나 중독적인 행위에 빠지기 쉬우며 방탕하게 허송세월을 보낼 확률이 높습니다. 배우자복과 자식복이 좋지 않아 자식 때문에 큰 고생을 하거나 일생이 고독합니다.

　이런 외모를 가진 직장 상사는 무언가에 찌들어 항상 피곤해 보이는 경우가 많습니다. 변태적인 성향이 강해 욕구를 해결하려면 어쩔 수 없다고 봐야겠죠. 어쩔 수 없이 마지못해 회사에 다니는 것에 가깝습니다.

애굣살이 심하게 크거나 쳐진 관상

　욕심과 욕구가 강해 매우 음란할 수 있습니다. 충동적이며 허영과 사치가 심해 경제적인 어려움이 늘 따르고 이성에게 인기가 많지만, 이성 문제로 평생을 고생하게 됩니다. 바람기가 많고 하는 일마다 잘 풀리지 않을 수 있어 부부운과 자식운이 좋지 않아 고독할 수 있습니다.

　이런 외모를 가진 직장 상사는 여우처럼 영리하게 일합니다. 자신보다는 부하 직원에게 업무를 맡기고 공을 가로채는 얄미운 모습을 자주 보여줄 것입니다. 또한, 어디로 튈지 모르는 시한폭탄 같은 타입의 사람입니다. 사적으로 복잡한 사건에 휘말려 있을 확률이 높으니 가까이하지 않는 게 좋습니다.

애굣살이 푹 꺼지거나 탄력이 없는 관상

육체적으로나, 정신적으로 약해 항상 피곤함에 찌들어 살거나 잔병치레가 많을 수 있습니다. 이성과의 인연이 약하며 어려서부터 생활전선에 뛰어드는 경우가 많습니다. 결단력과 추진력이 약해서 하려는 일마다 진행이 더디고 잘 풀리지 않을 수 있습니다. 생식기에 문제가 있어 자녀운이 약하며 고독할 수 있습니다.

이런 외모를 가진 직장 상사는 큰 욕심이 없어 회사에 다닌다는 것만으로도 만족하는 욕심이 없는 사람입니다. 생식기와 관련된 건강이 좋지 않을 수 있어 업무에 지장이 있을 수 있습니다. 동료를 이끌거나 자발적으로 나서서 무언가를 하는 걸 좋아하지 않아 리더십은 부족하지만, 부하 직원을 아끼고 잘 챙겨줍니다.

제9장 광대뼈

　광대뼈의 높이, 크기, 발달 정도를 관찰하여 그 사람의 건강, 인복. 성공운 사회적 지위 등의 운세를 점칠 수 있습니다. 광대는 살집이 적당히 있고 높게 솟아 있어야 하며 둥글고 밝은 빛이 나는 광대가 가장 이상적입니다. 광대뼈 부분만 너무 돌출된 것, 살 없이 뾰족하게만 뼈가 도드라져 보이는 것, 주름 또는 흉터가 있어도 흉하다 해석됩니다.

광대뼈가 잘 발달해 큰 관상

활력이 넘치며 건강을 타고난 사람이 많습니다. 야망가에 진취적이라 행동력이 대단합니다. 기가 세고 고집불통에 성격도 거칠어 보이지만, 겸손하고 부드러운 성격이 많습니다. 책임감이 강하고 인복이 좋으며 사회생활도 잘하여 어딜 가든 인정받습니다. 특히 사업으로 성공하는 사람들이 많습니다. 단점을 꼽자면 너무 밖으로만 돌아 가족이나 가까운 사람에게 소홀할 수 있습니다.

과거에는 여성이 광대가 크면 팔자가 세고 배우자를 무시해 결혼운이 좋지 않다고 했지만, 현대에는 사회에서 인정받는 전문직 여성 혹은 성공한 사업가라 해석하면 될 거 같습니다. 배우자를 하대하는 것이 아니라 배우자보다 능력 있고 잘난 것이지요.

이런 외모를 가진 직장 상사는 정도 많고 동료도 잘 챙기는 100점짜리 직장 상사입니다. 오지랖이 넓어 어려움에 처해 있는 동료를 그냥 지나치지 못하고 자기 일처럼 도와주려 애쓸 것입니다. 타고난 리더십과 뛰어난 업무능력 덕분에 회사에서도 평판이 좋을 것입니다. 믿고 따라도 좋습니다.

광대뼈가 낮은 관상

　인복이 부족해 작은 일에도 큰 고통을 받을 수 있고, 이성이나 아랫사람에게 무시당할 확률이 높습니다. 투지력과 의지가 박약해 마음먹은 일을 잘 실천하지 못하거나 중도에 포기하는 경우가 많습니다. 소극적인 성격에 기회가 와도 잘 잡지 못해 항상 뒤늦게 후회합니다. 기본적으로 우유부단하고 사람들과의 마찰을 싫어해 자기주장이나 고집을 부리지 않는 평화주의자가 많으며 큰 욕심이 없어 작은 것에도 만족하며 살아갑니다.

　이런 외모를 가진 직장 상사는 남에게 인색하고 냉소적입니다. 앞에서는 불만을 내색하지 않지만, 뒤에서 말하는 타입이라 항상 이 직장 상사의 눈치를 살피는 것이 좋습니다. 업무적으로는 뛰어나지 않을 순 있으나, 부하 직원에게 권위적이지 않아 상대를 편하게 해 줍니다. 사적이나 업무적으로 부담을 주지 않기 때문에 어떻게 보면 좋은 직장 상사에 가깝습니다.

옆 광대뼈가 발달한 관상

　성격이 거칠고 과격한 사람들이 많습니다. 고집불통에 반항심이 강하여 주위 사람들과의 마찰이 잦습니다. 자기중심적이고 자기애가 강합니다. 오지랖이 넓고 눈에 거슬리는 것이 있으면 강약약강의 정석처럼 만만한 상대를 비난하며 시비부터 걸고 봅니다. 음흉한 구석이 있어 쉽사리 속내를 드러내지 않고 상황에 따라 불만이 있어도 내색을 잘하지 않다가 치밀하게 복수하는 타입입니다. 강한 생활력에서 나오는 인내와 끈기를 베이스로 피나는 노력을 통해 인정받고 성공하는 사람들이 많습니다. 부정적인 성격 때문에 인간관계나 결혼운이 좋지 않아 고독할 수 있습니다.

　이런 외모를 가진 직장 상사는 업무능력은 뛰어나지만, 협동에 약한 모습을 보여 줍니다. 팀원들에게 삐쭉한 말을 해서 상대에게 상처를 곧잘 줍니다. 쿨하지 못한 구석도 있어서 반드시 크게 한 방 먹이는 타입이니 항상 눈치를 살피고 심기를 건드리지 않게 조심하며 존중해야 합니다. 눈에 거슬리는 짓만 안 한다면 사회생활에는 배울 점도 많고 일도 잘하는 좋은 직장 상사입니다.

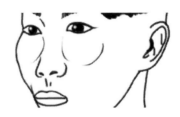

앞 광대뼈가 돌출된 관상

지고는 못 사는 투쟁심과 생활력이 매우 강해 어디에 떨어뜨려놔도 성공할 만큼 강한 의지를 갖춘 노력파가 많습니다. 성격이 매우 예민하고 감정의 기복이 심해 어디로 튈지 모르는 성격이 많으며 생각이 짧아 경솔한 행동으로 곤욕을 치르는 경우가 많습니다. 독단적이고 남의 말을 듣기 싫어하며, 모든 일을 자기 생각대로 하려는 고집이 있어 주위 사람들과의 트러블이 잦습니다. 성공에 대한 열망에 사로잡혀 성공만을 보고 달려가다 보니 주위 사람들에게 소홀해 어려움이 닥쳐도 도와주려는 사람이 없거나 의지할 곳이 없는 외로운 사람이 되어 있을 것입니다. 주위 사람들을 챙기며 공과 사를 철저하게 구분하는 것이 좋습니다.

이런 외모를 가진 직장 상사는 기본적으로 성격이 보통이 아니라서 함께 일하기 고달플 수 있습니다. 배려 따윈 없는 독단적인 업무 지시를 할 것이니 시키는 것만 하시면 됩니다. 항상 저자세로 존중과 겸손을 잊어서는 안 됩니다. 자신이 모욕이나 무시당했다고 느끼는 순간 갑자기 돌변해 당신에게 지옥 같은 회사 생활이 무엇인지 몸소 보여 줄 것입니다.

광대뼈에 살이 없고 비대칭인 관상

관상에서는 어느 곳이든 조화와 균형을 중요하게 봅니다. 광대뼈 역시 살이 없고 뾰족하며 비대칭으로 불균형한 광대를 가졌다면 흉하게 봅니다. 이런 광대뼈는 충동적이고 호전적인 성격이 많습니다. 책임감이 부족하며 협동보다는 혼자서 일하는 걸 좋아하고 동료나 윗사람과의 마찰이 잦아 피곤한 일을 자주 발생시킵니다. 어디에도 잘 섞이지 못하여 사회생활에 하며 많은 문제가 있을 수 있으며, 쾌락적인 삶을 즐기다 보니 크고 작은 사고를 자주 칩니다.

이런 외모를 가진 직장 상사는 안전거리를 확보하는 것이 중요합니다. 이중적인 면을 가진 외골수 같은 성격 때문에 직장 내에서 평판도 좋지 못할 확률이 높으니 가볍게 미소 지으며 인사만 주고받는 사이가 모두를 위해 좋습니다. 인간관계에서 불안한 사람이다 보니 부하 직원을 잘 챙기지 않고 예상 밖의 돌발행동이나 뾰족한 말을 곧잘 합니다. 상처받지 않도록 마음의 준비를 하시는 것이 좋습니다.

제10장 코

코를 통해서 그 사람의 성격, 성공운, 재물운 등을 점칠 수 있습니다. 특히 코는 재물운과 관련이 가장 깊은 부위라 말해도 과언이 아닙니다. 옛말에 "귀 잘생긴 거지는 있어도 코 잘생긴 거지는 없다."라는 말이 있을 정도이니 말이죠. 코의 생김새를 통해서 그 사람의 돈벌이나 돈 씀씀이 같은 재물운의 흥망을 점칠 수 있습니다.

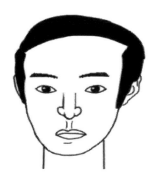

화살 코 관상

　남들을 잘 챙기고 베풀고 따뜻한 성격이 많아 사람들에게 인기가 좋습니다. 인복 좋아 어떠한 어려움이 닥친다 해도 지인의 도움을 받아 일어서는 힘이 있습니다. 타고나길 두뇌 회전이 빨라 머리를 쓰는 일에 잘 맞고 공부로 성공하는 경우가 많습니다. 자신의 속내를 잘 드러내지 않고 매사에 신중합니다. 관찰력이 좋아 기회를 잡는 능력이 뛰어나서 출세하기 쉽고 추진력과 배짱 또한 좋아 무슨 일이든 잘 해내는 타입으로 부와 명예를 모두 거머쥐는 자들에게서 많이 보이는 귀한 코입니다.

　이런 외모를 가진 직장 상사는 업무적으로나, 인간적으로나 어디 하나 부족한 곳이 없는 이상적인 직장 상사에 가깝습니다. 곁에 머물며 업무 스타일을 보고 배우는 것이 좋으며 회사에서 롤모델로 삼아도 좋은 직장 상사입니다.

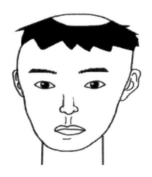

코가 작은 관상

　남들 앞에 나서길 꺼리며, 내성적이고 소극적인 성격이 많습니다. 추진력이 부족해 고민하고 주저하다 마음먹은 일을 이루는데 많은 시간과 어려움이 따릅니다. 연인이나 사람을 만나는 데는 개방적이고 사람이 좋아 대인관계에 큰 문제는 없습니다. 문제는 배우자복은 다소 약한 편이며 의존성이 강하고 남에게 쉽게 이용당하는 특징을 가지고 있어, 믿음의 결과가 금전적 손해로 연결될 수 있겠습니다. 재물복 또한 약하여 경제적인 어려움 때문에 일생을 고생하며 살 확률이 높습니다. 균형과 조화를 중요시하는 관상학에서 극단적으로 코가 작다면 흉하다 해석됩니다.

　이런 외모를 가진 직장 상사는 무심한 듯 조용히 지켜보며 챙겨주는 정 있는 직장 상사일 가능성이 큽니다. 어려운 부탁도 곧잘 들어주는 선하고 믿음직한 모습을 가지고 있습니다. 흠이라면 결단력이 부족해 리더의 자질이 부족하지만, 직장 생활을 하는 데 있어서 편하고 좋은 부류임은 틀림없습니다. 단! 금전적인 부탁 혹은 개인사로 엮이지 않는 게 좋습니다.

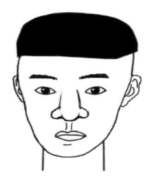

큰 코 관상

얼굴의 조화를 깨뜨릴 만큼 얼굴에서 코만 보일 정도로 큰 코를 가진 사람들을 보셨을 것입니다. 이런 코를 가진 사람은 자존심과 체면을 중시하며 활력이 넘치고, 활동적입니다. 자기중심적이며 남들 앞에 나서는 걸 좋아해 겉보기에 이기적이고 제멋대로인 것처럼 보일 수 있습니다. 대담한 성격을 가지고 있어 투기를 좋아하는 편입니다. 사람은 착하고 열정적이지만, 할 말은 무슨 일이 있어도 해야 직성이 풀리는 욱하는 타입으로 사람들과의 마찰이 잦아 피곤한 삶을 살거나 고독할 수 있습니다. 마음먹은 일은 반드시 해내려는 의지와 성공에 대한 열망이 강하여 성공한 사람들에게서 많이 보이는 코입니다. 재물복이 좋아 돈복은 있는 편입니다. 다만 전체적으로 얼굴이 조화롭지 못하고 답답하게 코만 크다면 사고뭉치에 일생이 안 풀려 빈곤하고 흉합니다.

이런 외모를 가진 직장 상사는 호쾌한 성격으로 일도 잘해서 직장 내 인정받는 인재일 가능성이 큽니다. 출세에 대한 열망이 강하고 권위적이라서 부하 직원 처지에서 함께 일하기 약간 버거울 수 있습니다. 남을 부리는 걸 좋아하고 출세욕이 대단해 일에 미쳐 사는 사람이라 옆 시킴까지 과중한 업무를 도맡게 될 확률이 높습니다. 힘은 들겠지만 믿고 따른다면 좋은 성과가 기다리고 있을 것입니다.

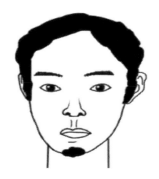

들창코 관상

콧구멍이 훤히 들여다보이는 코를 들창코라 합니다. 이런 코를 가진 사람은 성격 하나는 정말 좋습니다. 세상 솔직하며 남에게 잘 베풀고 잘 도우며 인간관계에서도 원만하고 좋습니다. 문제는 변덕이 심한 기분파가 많아 상황에 따라 세상 괴팍한 사람으로 보이기도 합니다. 허영과 허풍이 심하며 유혹에 약한 면이 강해 낭비가 심하고 큰돈이 들어와도 잘 지키지 못합니다. 사기나 투자로 큰 손해를 보기 일쑤라 안정적인 삶과는 거리가 있을 수 있으며 평생 돈 때문에 고생할 수 있습니다.

이런 외모를 가진 직장 상사는 사람 자체가 쿨하고 까다롭지 않습니다. 맛있는 것도 잘 사주며 부하 직원을 따뜻하게 잘 챙겨주는 좋은 사람이지만 적당한 거리를 유지하는 게 좋습니다. 부족한 경제관념과 낭비벽이 심하여 돈을 자주 빌리려 할 수 있습니다. 친분을 쌓으면 금전적인 부탁을 해올 수 있기 때문에 반드시 조심해야합니다. 그동안 챙겨주고 받은 게 있어 칼같이 부탁을 거절하기에어려울 수 있으니 이 직장 상사 앞에서는 경제적으로 어려운 척 연기를 하는 것이 좋겠습니다.

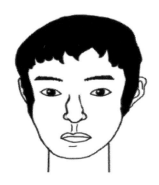

매부리코 관상

코가 마치 매의 부리처럼 휘어 있고 코끝이 밑으로 내려간 코를 매부리코라 부릅니다. 이런 코를 가진 사람은 영리하지만 교활하고 이기적인 개인주의자가 많습니다. 돈 냄새를 잘 맡으며 집념과 끈기가 좋습니다. 판단력이 뛰어나 재물복이 좋습니다. 경제관념이 매우 철저하고 계산적인 사람이 많아 평생을 돈 걱정 없이 부유하게 살아가겠지만, 일생이 고독할 수 있습니다. 욕심이 많고 인정이 없어 자신의 이익을 위해서라면 남을 이용하거나 배신도 거리낌 없이 할 수 있는 무서운 사람들이 많습니다. 자기 자신은 남부럽지 않게 살지는 몰라도 주위 사람들의 평판은 좋지 못할 것입니다.

이런 외모를 가진 직장 상사는 자신의 이익을 위해서만 움직이는 타입이기 때문에 그가 나에게 잘해준다면 무언가 기대할 것이 있고, 나에게 관심이 없다면 이용할 가치가 없는 사람으로 분류된 것입니다. 이기적이지만 책임감과 결단력이 좋아 업무적으로는 흠잡을 곳이 없는 에이스일 확률이 높습니다. 남들에게 속내를 잘 드러내지 않아 먼저 다가가기 힘든 사람이고 욕심 앞에서 언제 사람이 변할지 모르니 딱히 친분을 쌓아서 좋을 필요가 없습니다, 항상 적당한 인간거리를 유지하는 게 좋습니다.

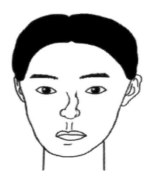

코가 휜 관상

 성격이 사납고 비뚤어진 사고방식을 가지고 있을 확률이 높습니다. 남을 잘 속이고 예민한 성격이 많아 구설이나 시비로 고생을 할 수 있으며 부모복과 배우자복이 약해 고독할 수 있습니다. 건강운이 좋지 않아 잔병치레가 있을 수 있으며 살아가면서 많은 풍파를 겪게 되어 하는 일마다 잘 풀리지 않고 인생이 평탄치 못할 수 있습니다. 재물운 또한 좋지 않아 불안정한 삶을 살아갈 확률이 높습니다.

 이런 외모를 가진 직장 상사와는 될 수 있으면 엮이지 말고 가까이하지 않는 게 좋습니다. 자신의 목적을 이루기 위해서 수단과 방법을 가리지 않다 보니 주위 사람 특히, 부하 직원을 이용하려 할 것입니다. 비뚤어진 사고방식 때문에 인간관계에서 큰 문제가 생기거나 하던 일이 잘 풀리지 않을 테니 괜히 옆에 있다가 함께 화를 당할 수 있습니다.

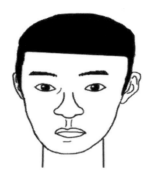

주먹코 관상

　코끝이 주먹을 쥔 것처럼 살이 많고 둥근 코를 주먹코 혹은 복코라 부릅니다. 이런 코를 가진 사람들은 마음이 선해 남들과 잘 어울리는 낙천적인 성격이 많습니다. 말이나 행동을 할 때는 언제나 신중하고 진지합니다. 자기 삶에 만족하며 욕심을 부리기보다는 여건에 맞게 살아가려 합니다. 그 때문에 구두쇠 기질이 있을 수 있으며 순진한 구석도 있어 사람을 믿었다가 뒤통수를 맞는 경우가 많습니다. 생활력이 강하고 참을성이 좋아 재물운이 좋은 편입니다. 부단한 노력을 통해 자수성가한 큰 부자들에게서 많이 보이는 코이기도 합니다.

　이런 외모를 가진 직장 상사를 만났다면 당신은 행운아입니다. 입사 후 큰 어려움 없이 회사 생활에 적응할 수 있도록 옆에서 물심양면으로 도와줄 것이며 배려심과 이해심도 좋아 이만한 직장 상사도 없을 것입니다. 믿고 따르셔도 좋습니다.

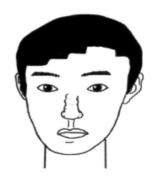

계단코 관상

　계단코란 콧대 중간이 울퉁불퉁하게 굴곡이 있어 계단처럼 보이는 코를 말합니다. 이런 코를 가진 사람은 어린이 같은 구석이 있어 장난을 좋아하고 변덕스러우며 호기심이 많습니다. 자신을 꾸미고 뽐내는 걸 좋아하며, 경쟁심이 강하고 남들 앞에 나서는 걸 좋아합니다. 성격은 사납고 자존심과 고집이 세다 보니 충동적으로 사고도 잘 치는 편입니다. 자기중심적인 사람이라서 주위 사람들과의 트러블이 잦아 고독합니다. 마음먹은 일을 해내려는 의지와 추진력은 강하지만 인복과 재물복이 약해 많은 노력이 필요합니다.

　이런 외모를 가진 직장 상사는 외적으로는 근사하고 매력적으로 보이지만 그 누구의 말도 듣지 않는 고집불통에 싸움을 피하지 않는 불같은 성격이라 누구와도 원만하게 지내기 힘든 타입입니다. 믿고 따르기 피곤할 수 있겠고 경쟁심과 욕심이 많아 굳이 지뢰밭 길로 들어가는 타입입니다. 자신에게 피해가 간다는 생각이 들면 비겁하게 혼자서 발을 빼버리는 무책임한 모습도 가지고 있습니다. 괜히 옆에 있으면 함께 피해를 보기 십상입니다. 최대한 거리를 두고 엮이지 않는 것이 좋습니다.

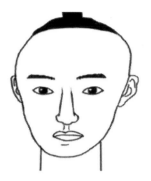

긴 코 관상

　얼굴 길이에 3분에 1보다 코가 차지하는 부분이 많다면 긴 코에 해당합니다. 이런 코를 가진 사람은 남들의 눈을 많이 의식하는 편으로 매사에 신중하여 말 한마디를 할 때도 조심스럽게 합니다. 모험보다는 안전을 추구하다 보니 좋은 기회가 와도 잘 잡지 못합니다. 이해심과 배려심이 있고 인정이 많아 대인관계에 큰 문제는 없지만 쓸데없는 걱정과 생각이 많아 오해를 만드는 경우가 있습니다. 융통성이 부족하고 자존심이 강해 사람들과의 의견 충돌이 잦은 편입니다. 성실하고 책임감이 강해 무슨 일이든 잘 해내는 능력이 있습니다. 개성이 강하고 고지식해 누가 뭐라 해도 듣지 않으며 자신의 길을 개척해 나갑니다. 돈보다는 명예를 택하며 짧고 굵은 인생보다는 얇고 긴 인생을 추구합니다.

　이런 외모를 가진 직장 상사는 잘 챙겨주고 친절하지만, 자기중심적이고, 고지식한 면이 있어 옆에서 보고 있으면 매우 답답할 수 있습니다. 이 때문에 동료와 의견 충돌이 잦을 수 있겠고 업무적으로 독불장군 스타일이 많아 함께 일할 때 팀원들이 최대한 맞춰 주면서 해야 하는 타입입니다.

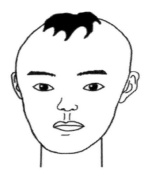

짧은 코 관상

　사교성이 좋아 누구와도 잘 어울리고 인기도 많은 편입니다. 털털하고 쿨한 성격이 많으며 눈치가 빠르고 순발력이 좋아 즉흥적으로 일하는 것을 좋아합니다. 자기 뜻을 굽힐 줄도 알아서 다른 사람의 의견을 잘 듣습니다. 보기에 따라서 우유부단하고 줏대 없이 보일 수 있으며 신뢰할 수 없는 가벼운 사람처럼 비칠 수도 있겠습니다. 조바심을 잘 내고 충동적이라 크고 작은 실수를 많이 하고 급하게 투자나 사업에 손댔다가 큰 손해를 보는 경우가 많습니다. 욕심을 줄이고 신중하게 행동한다면 타고난 눈치와 순발력을 통해 하루가 다르게 변해가는 현대 사회에서 성공하기 좋은 코가 아닐까 하는 생각을 해 봅니다.

　이런 외모를 가진 직장 상사는 유머러스하고 남들을 잘 챙기는 좋은 사람임은 틀림없지만, 업무적으로는 배우지 않는 게 좋습니다. 무슨 일이든 산만하게 대충대충 하려 하고 사람이 우유부단하고 줏대가 없어서 옆에 있다가는 피해를 보기 십상입니다. 가장 큰 문제는 팀 단위로 어떠한 일을 하다 문제가 발생하면 임기응변이 뛰어나 혼자서만 잘 빠져나간다는 것이지요.

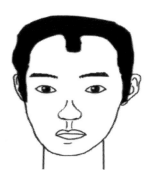

마늘코 관상

 이름처럼 마늘을 반으로 잘라 붙여놓은 것처럼 생겼습니다. 콧방울에 살이 많은 것도 특징입니다. 이런 코를 가진 사람은 마음이 넓고 선한 사람이 많습니다. 착실하고 성실하여 어딜 가도 능력을 인정받고 돈의 흐름을 읽는 능력이 탁월해 돈을 불릴 줄 압니다. 재물복과 인복이 매우 좋으며 형제와 배우자에게 잘하고 사이도 좋습니다. 찾아온 기회를 잡기보다는 기회를 자신이 만드는 타입으로 타고난 재주와 인내심을 무기로 노력해 자수성가하는 경우가 많습니다.

 이런 외모를 가진 직장 상사는 어디서든 능력을 인정받는 인재입니다. 인성이면 인성 일이면 일 어느 하나 빠지는 게 없습니다. 차곡차곡 자기 능력을 보여주며 인정받는 타입이라서 지금은 별 볼 일 없어 보여도 중년부터 서서히 운이 상승하는 경우가 많으니 미리 친분을 쌓아 두면 훗날 반드시 도움이 될 것입니다.

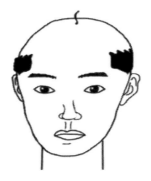

비대칭 코 관상

　사람의 얼굴은 완벽한 좌우 대칭을 이루기란 사실상 어렵습니다. 지금 말하는 것은 비대칭이 확연하게 차이가 느껴지는 코를 말하는 것입니다. 이런 코를 가진 사람은 질투와 시기가 많고 욕심이 끝이 없어 착실하게 재물을 모으는 것이 아닌 손쉽게 벌 수 있는 도박에 가까운 위험부담을 감수하고 투자했다가 패가망신하는 경우가 많습니다. 돈을 모으기보다는 투자하는 것을 즐기고 절약보다는 더 벌면 된다는 생각으로 사치스럽게 흥청망청 살아가는 사람이 많습니다. 흥미로운 것은 남들은 생각지도 못한 엉뚱한 아이디어로 사업해 성공하는 사업가도 종종 볼 수 있습니다.

　이런 외모를 가진 직장 상사는 시기와 질투심이 강해 남이 잘되는 꼴을 못 봅니다. 절대 이 사람 앞에서 잘난 척이나 본인의 능력을 과시해서는 안 됩니다. 약간 모자란 척 어리바리한 척하며 모든 면에서 자신보다 하수라는 생각이 들게 하는 것이 좋습니다. 나보다 하수라는 생각이 들면 경계심을 풀며 잘 챙겨줄 것입니다. 엉뚱한 생각과 행동도 자주 해 옆에 같이 있다가 함께 곤란한 상황에 부닥칠 수 있으니 웬만하면 엮이지 않는 게 좋겠습니다.

낮은 코 관상

남들 앞에 나서거나 튀는 것을 싫어하는 소심하고 내성적인 성격이 많습니다. 자신감과 자존심이 강하지 않은 평화주의자이며 언제나 겸손하고 유머러스해 어딜 가든 환영받는 편입니다. 온화하고 안정적인 것을 좋아하지만, 결단력이 부족하고 성급해 노력이 헛고생되는 경우가 많습니다. 책임지는 걸 싫어하고 인내심이 부족해 게으릅니다. 얌전하고 조용해 보이지만 은근히 크고 작은 사고를 잘 치는 유형입니다. 여러 문제로 화목한 가정을 꾸리기에 많은 어려움이 따릅니다. 담력이 부족해 큰 재산은 모으지 못하지만, 이것저것 분산 투자로 돈을 잘 버는 타입입니다.

이런 외모를 가진 직장 상사는 이해심이 좋고 주변 사람들을 잘 챙기는 따뜻한 사람입니다. 단점이라면 부족한 판단력과 무책임하고 자발적으로 하는 것을 싫어하다 보니 누군가를 가르치거나 리드하는 것에도 서투를 수 있습니다. 귀찮을 정도로 쫓아다니면서 질문하며 적극성을 띠고 일을 배우는 게 좋습니다. 팀을 책임지는 직책보다는 팀의 구성원일 때 능력을 충분히 발휘합니다.

날카로운 코 관상

　코에 살이 없고 베일 듯한 콧대를 가진 사람들을 보셨을 것입니다. 이런 코를 가진 사람은 성격이 예민하고 이기적이며, 질투와 시기가 많은 심술쟁이가 많습니다. 머리도 좋아 무슨 일이든 치밀하게 준비하지만, 노력보다는 요행을 바라는 성향이 강해 한방을 찾다가 본전도 못 건지기 일쑤입니다. 기본적으로 힘든 일을 싫어하고 남들의 눈을 많이 의식해 당장 굶어 죽더라도 허드렛일을 꺼리기 때문에 금전적으로 항상 궁핍할 수 있습니다. 허영심과 사치를 위해 남에게 피해를 주는 것도 불사하는 때도 있습니다.

　이런 외모를 가진 직장 상사는 미적으로 아름다워 보이지만 굉장히 예민하고 차가운 성격이 많아 쉽게 다가가기 어려운 포스를 뿜어냅니다. 일은 잘하지만 귀찮거나 힘든 일은 다른 사람에게 떠맡기는 얌체같이 짓을 잘합니다. 계산적이고 사람을 잘 믿지 않지만, 티를 내진 않습니다. 친분보다는 불편하지 않을 정도의 원만한 인간관계만 유지하려 할 것입니다. 기본적으로 이 직장 상사의 심기를 건드리지 않는 게 좋습니다. 자신의 업무에 피해를 준다면 참지 않는 타입입니다. 또한, 금전적으로 항상 쪼들리는 경우가 많으니 될 수 있으면 금전거래는 피하는 게 좋습니다.

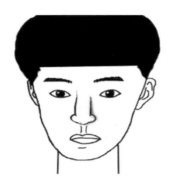

높은 코 관상

상냥한 쾌활한 성격이 많아 대인관계가 좋고 인기가 많습니다. 자존감이 정말 강해 무슨 일이든 리드하는 것을 좋아합니다. 머리가 좋고 재주가 뛰어나지만, 오만함과 비관적인 사고방식을 가지고 있어 쉽게 풀릴 일도 복잡하게 꼬는 특징이 있습니다. 웬만해선 자신의 속내를 잘 드러내지 않고 계산적이며, 사람을 자신의 발밑에 두고 부리는 것을 좋아하는 지배욕이 강합니다. 힘든 일은 피하려는 특성이 있고 보기에 따라 왕자병, 공주병이 있는 것처럼 보일 수 있는데 실제로 대접받는 걸 좋아합니다. 도전정신이 강해 승부사 기질이 있어 돈은 잘 벌지만, 낭비가 심하고 성격이 강해 결혼 생활이 원만하지 못하여 고독할 수 있습니다.

이런 외모를 가진 직장 상사는 고집이 세고 완고한 듯 보이지만 실상은 변덕도 심하고 종잡을 수 없는 사람입니다. 업무적으로는 그 누구보다 일하는 방법이나 요령을 친절하게 잘 알려 줄 것입니다. 충분히 업무에 숙달해 교육이 끝났다면 험난한 회사 생활의 시작! 사람을 다루는데 탁월해 은근슬쩍 자신의 업무를 맡긴다든지 사적인 부탁을 해올 것입니다. 부하 직원 처지에서는 얄미운 직장 상사이지만 직장 내에서는 신망이 누터워 괜히 대립해 봤자 자신만 손해를 보게 될 것입니다.

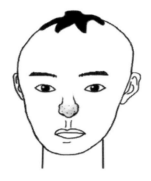

딸기코 관상

　열에 아홉은 알코올 의존증이 있는 사람에게 보이는 특징이지만 알코올 의존증이 아님에도 코가 빨간 경우가 종종 있습니다. 이런 코를 가진 사람은 건강이 약해 잔병치레가 많습니다. 창의력이 좋아 사업가로서의 재주는 좋으나 사건·사고에 잘 휘말려 재물을 지키지 못하거나 법적 다툼을 하게 되어 고생하게 되며 배우자복, 자식복도 좋지 않습니다. 어느 날 갑자기 코가 빨갛게 딸기코가 되었다면 횡재수가 있거나 큰 재물이 생긴다고 해석하기도 하지만, 재물을 크게 잃게 된다는 해석으로 보기도 하니 경계하는 것이 좋습니다.

　이런 외모를 가진 직장 상사는 산만하게 일을 벌이는 것을 좋아합니다. 직장 생활, 부업, 가정까지 욕심만 부리다 어느 것 하나 제대로 지키지 못하는 경우가 많습니다. 많은 일을 하려다 항상 문제를 만드는 스타일이니 사적인 친분은 쌓지 않는 게 좋고 멀리서 응원만 해주세요.

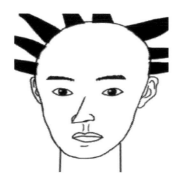

코끝이 높은 관상

개성과 자존심이 강해 별난 구석이 있습니다. 눈치가 빨라 기회를 잡는 능력이 탁월하며 임기응변이 좋아 어떤 상황에 부닥치더라도 재치 있게 잘 헤쳐 나가는 특징이 있습니다. 창의력이 뛰어나 자신의 재주를 통해서 출세하는 경우가 많지만, 허영심이 매우 강해 사치스럽거나 엉뚱한 투기로 재물을 지키지 못할 수 있어 평생을 경제적인 어려움으로 고생하거나 고독할 수 있습니다.

이런 외모를 가진 직장 상사는 속을 알 수 없는 4차원 성격이 많고 회사 안팎에서 엉뚱한 사고를 많이 치기 때문에 함께 일하는 동료가 아주 버거울 수 있습니다. 또한, 자기 실속은 기가 막히게 잘 챙기는 특징이 있어 얄밉게 사회생활을 잘하는 타입입니다. 이걸 모르고 옆에 있다간 손해를 보기 일쑤입니다.

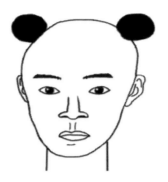

콧구멍 큰 관상

콧구멍이 크더라도 콧방울에 살이 많으면 좋고, 정면에서 콧구멍이 안 보여야 귀합니다. 콧구멍이 크면 성격이 쾌활하고 솔직해 대인관계는 원만한 편입니다. 문제는 기분파라서 감정의 기복이 심하고 돈을 흥청망청 써버립니다. 악의는 없으나 본의 아니게 비밀 누설 같은 말실수를 해 사고를 치는 경우가 있습니다. 배짱이 두둑하여 무슨 일이든 겁 없이 도전하며, 목표가 생기면 실행력이 매우 좋은 편으로 실패를 두려워하지 않는 특징 때문에 성공을 이루기 좋습니다. 하던 일이 잘 풀리지 않아 실패하더라도 몇 번이고 오뚝이처럼 다시 일어나는 사람에게서 많이 보이는 코의 형태이며, 큰 부자들에게서 두드러지게 보이는 코이기도 합니다. 일이 잘 풀리면 큰돈을 벌 수 있으나 돈 씀씀이 또한 커 재산을 잘 지키지 못할 수 있습니다. 돈 많은 부자 혹은 평생 가난을 벗어나지 못하는 극과 극의 운명을 가진 코이기도 합니다.

이런 외모를 가진 직장 상사는 인간관계에 크게 연연하지 않지만, 주위 사람들에게 맛있는 것도 잘 사주고 잘 챙겨주는 괜찮은 사람입니다. 비위만 잘 맞춰준다면 이만한 직장 상사도 없습니다. 단점을 꼽자면 은근히 입이 가벼우니 비밀을 말했다간 낭패를 볼 수 있습니다. 성공에 대한 열망이 대단한 사람이니 옆에서 돕거나 친분을 쌓아 두면 언젠간 반드시 도움이 될 것입니다.

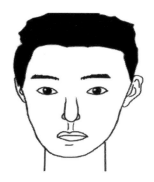

콧구멍 작은 관상

　감정을 잘 숨기지 못해 바로 얼굴에 티가 나타나는 타입이 많습니다. 매사에 신중하고 계획적으로 조심성 있게 행동합니다. 내성적인 성격이 많고 안정적인 것을 좋아합니다. 폐쇄적이고 융통성이 없어 대인관계가 좋지 않아 사람들에게 인기가 없습니다. 고집과 끈기는 좋으나 적극성이 부족하고 눈앞의 작은 이익에만 신경 쓰다 보니 좋은 기회가 오더라도 잘 놓칩니다. 이 때문에 재물운이 약할 수 있습니다. 인색하고 속물이라는 소리를 들을 만큼 돈을 심하게 아끼는 구두쇠가 많습니다.

　이런 외모를 가진 직장 상사는 목표에 대한 집념이 남달라서 회사에서 능력을 인정받고 있을 확률이 높습니다. 문제는 자신에게 이득이 될 만한 일이 아니라면 남들에게 신경을 쓰지 않고 필요하지 않다면 10원짜리 한 장 쓰려고 하지 않습니다. 자신의 실속만 챙기는 계산적이고 이기적인 사람이 많아서 옆에 붙어 있어 봐야 득이 될 만한 것이 없는 사람입니다.

코에 점 있는 관상

일명 미인점, 기생점으로 알려져, 일부러 성형외과에서 점을 심기도 하는데 사람의 얼굴을 볼 때 시선이 코에 있는 점으로 쏠리게 해 얼굴을 좀 더 날렵하고 매력적으로 보이게 하는 효과가 있다고 합니다. 관상학적으로는 코에 있는 점을 부정적으로 봅니다. 점이 있는 위치의 나이에 불행한 일이 생긴다고 봅니다. 긍정적인 면은 남들 앞에서 돋보이고 인기를 얻어야 하는 직업군에게 잘 맞아 많은 인기와 부를 얻는 것이 가능합니다. 사치나 허영심이 강해 낭비로 재물을 지키지 못할 수 있고 중년에 바람기 때문에 고생할 수 있습니다. 관상에서는 몇 개의 복점을 제외하고는 모든 점은 몸에서 잘 보이지 않는 곳에 있어야 귀하다고 여겨집니다.

이런 외모를 가진 직장 상사는 남들의 눈을 심하게 의식하기 때문에 자신의 이미지를 위해서라도 당신에게 잘해줄 것입니다. 이성에게 인기가 많고 꾸미는 걸 좋아해 이성 관계가 복잡하거나 항상 돈이 쪼들려 사적으로는 절대 엮이지 않는 게 좋습니다.

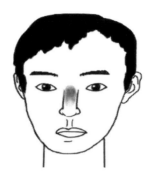

콧등이 검은 관상

갑자기 콧등이 검은색으로 변했다면 신변에 불운한 사건·사고가 일어나거나, 갑작스럽게 하는 일이 잘 풀리지 않을 수 있습니다. 누군가를 원망하거나 좌절감, 절망감 같은 부정적인 감정을 느끼게 됨을 암시하기도 합니다. 특히 콧등을 보고 건강운을 점치는데, 건강에 치명적인 문제가 생기게 될 시 콧등이 검은색 빛을 띠거나 검버섯 같은 게 생길 수 있습니다. 갑자기 콧등이 검게 변하였다면 건강에 신경을 쓰는 게 좋습니다.

이런 외모를 가진 직장 상사는 현재 폐쇄적이고 벼랑 끝에 서 있는 절박한 상황일 확률이 높습니다. 최대한 상대를 자극하지 않는 선에서 건강에 이상은 없는지 묻고 즉시 건강검진을 권유해 주시는 게 좋겠습니다. 당신의 말을 듣고 혹시나 해서 검사받았다가 건강 이상이 발견된다면 당신은 부하 직원에서 생명의 은인으로 신분 상승과 함께 든든한 조력자가 생기는 것입니다.

코에 세로 주름 관상

아무리 많은 유산을 물려받아도 지키지 못하며 좋은 기회가 와도 잘 잡지 못합니다. 부부간의 문제가 생겨 이혼수가 강하고 자손이 귀해 늦은 나이에 자식을 얻거나 심하면 집안의 대가 끊길 만큼 자식복이 약합니다. 갑자기 없던 세로 주름이 생겼다면 재산을 잃거나 사고, 질병과 같은 것들로 신변에 부정적인 문제가 발생할 수 있으니 항상 경계해야 합니다.

이런 외모를 가진 직장 상사에게는 아무런 기대나 하지 않는 것이 좋습니다. 부하 직원이라고 챙김을 받기보다는 오히려 챙겨주시는 게 좋겠습니다. 회사에서는 티를 내지 않을지 몰라도 개인사로 심적인 고통을 많이 받고 있을 것입니다.

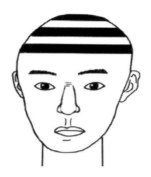

코에 가로 주름 관상

코에 가로 주름은 좋은 기운을 가로막는 것과 같습니다. 하는 일마다 잘 풀리지 않는 암울한 현재 상황을 보여주는 듯 성격이 음침하고 우울합니다. 바람기가 있어 가정을 유지하기 어려울 수 있으며, 크고 작은 문제들이 끊임없이 발생해 큰 좌절감을 겪게 됩니다. 끝없는 풍파 속에서도 포기하지 않는 강인한 근성을 무기로 열심히 일하고 노력해 극복해 나갑니다. 자식복과 재물운이 좋지 않으며 주름이 생긴 곳에 해당하는 나이에 재물 손실이나 사고 같은 큰 재앙이 닥칠 수 있으니 대비하는 게 좋습니다.

이런 외모를 가진 직장 상사는 자기 앞가림도 힘든 상황에서도 불의를 보면 참지 않는 정의로움을 가지고 있습니다. 참견과 간섭을 좋아해 사건의 중심에서 항상 빠지지 않습니다. 하는 일마다 잘 풀리지 않으니, 옆에 있다간 함께 화를 입을 수 있습니다. 업무 이외에는 인사만 주고받는 가벼운 사이로 지내는 게 좋겠습니다.

제11장 인중

인중은 코에서 입술 사이의 홈을 말합니다. 인중을 통해서 건강운, 배우자복, 자식복, 말년운 등을 운세를 점칠 수 있습니다. 인중의 길이는 12mm 미만은 짧은 인중으로 보며 19mm를 초과하면 긴 인중으로 봅니다. 인중은 짧은 것 보다 길어야 좋고 인중의 홈은 깊고 윤곽이 또렷하면서 밑으로 내려갈수록 넓어지는 깨끗한 인중을 귀하게 봅니다.

인중이 긴 관상

인중이 길면서 폭까지 넓고 선명하다면 건강운을 타고나 수명이 길어 장수한다고 봅니다. 품행이 단정해 인복이 좋고 일생에 큰 어려움 없이 평탄하게 살아가기 때문에 귀하다 봅니다. 인내력과 의지가 강해 기회를 잡는 능력이 탁월하여 늦은 나이에 성공하기도 하지만, 사람을 잘 믿어 사기를 당하는 등 사람 때문에 고통받기도 합니다. 인중이 길어도 인중 폭이 매우 좁다면 예민하고 심신이 병약합니다. 살아가다 크고 작은 풍파가 많고 잔병치레 또한 많으며 자식복이 약해 처량한 말년을 살아갈 확률이 높습니다.

이런 외모를 가진 직장 상사는 인내심이 좋아 어떤 사고를 친다 해도 웬만해서는 화를 잘 내지 않고 인자하게 대해줄 것입니다. 무슨 일이든 친절하게 잘 알려주고 당장은 회사에서 평판이 좋지 못하더라도 중년 이후부터 서서히 풀리니 좋은 관계를 유지하며 잘 지내서 나쁠 게 없습니다.

인중이 짧은 관상

　인중이 짧으면 성질이 급하고 충동적이라 사고를 잘 칩니다. 그래도 결단력과 추진력은 좋아서 자신에게 온 기회를 잡는 능력은 탁월하다 해석됩니다. 문제는 변덕이 심하고 끈기가 부족하여 뭐하나 진득하게 하지 못해 무슨 일이든지 오래 하지 못하며 직장을 자주 옮기거나 거주지를 자주 옮기는 등의 떠돌이 인생으로 살게 됩니다. 안정적인 삶과는 거리가 있을 수 있고 이런 불안정한 삶 때문인지 자녀복과 배우자 복 또한 좋지 못합니다. "인중이 짧으면 단명한다."라는 말이 있는데 다 옛말입니다. 현대적인 해석으로는 성기능이나 건강운이 약할 수 있다는 정도로만 받아들이는 게 좋겠습니다.

　이런 외모를 가진 직장 상사는 성질이 급하고 예민해 함께 일하기 매우 피곤할 수 있겠습니다. 업무 처리 속도가 빠르고 센스가 있어 무슨 일이든 잘 해내지만, 일을 산만하고 대충하는 타입이라 업무 스타일은 배우지 않는 게 좋습니다.

인중 폭이 넓은 관상

　정직하고 명랑한 성격의 소유자로 관대하고 참을성이 좋아 대인 관계가 원만하며, 인격적으로 타인에게 존경받습니다. 근성이 좋고 인복이 좋아 크게 성공할 가능성이 있으나 문제는 욕심이 많은 기분파라서 과감한 투자로 재물을 지키지 못할 수 있습니다. 자식복은 좋으나 형편이 어려워 자식들의 뒷바라지조차 버거운 인생을 살아갈 수 있으니 언제나 안정적인 것을 추구해야 합니다.

　이런 외모를 가진 직장 상사는 마음이 넓고 올곧은 정직한 사람으로 인격적으로는 훌륭한 사람입니다. 문제는 조용히 사고를 치고 다닙니다. 괜히 친분이나 의리 같은 분위기에 휩쓸려 함께 투자했다가 사이좋게 둘 다 거지가 될 수 있으니 무리한 투자나 투기를 하려는 낌새가 있다면 도시락 싸 들고 다니면서 말리는 게 좋습니다.

인중 폭이 좁은 관상

　속이 좁고 예민하여 심적으로 불안정할 수 있습니다. 사람들에게 마음을 잘 열지 않고 적극성 또한 부족해 우물쭈물하다 좋은 기회를 놓치는 경우가 많습니다. 또한, 건강에 문제가 있거나 자식복이 약해 고독할 수 있습니다. 생각이 짧고 이기적인 사람이 많아 대인관계가 좋지 못합니다. 우유부단하고 어리석은 행동을 잘해 집안의 사고뭉치일 확률이 높습니다. 변덕이 심하고 끈기 또한 부족해 직장을 자주 옮겨 다니며 일생을 경제적 어려움으로 고통 속에 살아가게 됩니다.

　이런 외모를 가진 직장 상사는 남에게 인색하고 이기적이라 함께 일하기에 피곤한 스타일입니다. 리더십이나 책임감도 부족하고 성격도 보통 까다로운 게 아니라서 난이도가 제법 있는 직장 상사입니다. 그래도 본성이 악한 사람은 아니라서 많은 시간과 노력을 투자한다면 원만하게 지내는 것 또한 가능합니다.

인중 위아래가 일직선인 관상

　인중이 깊게 파여 선명하고 폭이 적당히 넓다면 귀하게 봅니다. 이런 인중은 건강운을 타고나 체력적으로 우수합니다. 성격이 대쪽 같아 옳고 그름이 분명합니다. 법 없이도 살 사람이라는 소리를 들을 만큼 고지식합니다. 대쪽 같은 성격 덕분에 주위 사람들의 호불호가 분명합니다. 배우자와 자식복도 나쁘지 않지만, 말년에 운세에 변동이 생겨 고독할 수 있습니다.

　이런 외모를 가진 직장 상사는 올곧은 성격 때문에 답답한 꼰대가 많습니다. 자기 소신이 강하다 보니 직장 생활 중 동료와의 트러블이 많을 수 있어 직장 내에서 평판이 극과 극으로 갈리는 경우가 많습니다. 그래도 남을 이용하거나 배신을 하는 사람은 아니므로 믿고 따르는 게 좋습니다. 성실함은 언젠가 인정받기 마련입니다.

인중이 말려 올라간 관상

　세상 예민한 성격의 소유자로 스트레스에 취약해 항상 건강이 좋지 못합니다. 성질이 급하고 생각이 짧아 괴팍해 보일 수 있으며 성격은 급한데 약간 멍하고 태평한 구석이 있어 무슨 일을 하든지 잘 풀리지 않습니다. 그 때문에 일생을 고생할 수 있습니다. 급한 성격에 끈기까지 부족해 진득하게 무엇하나 오래 하는 일이 없고 허영심과 허풍까지 심해 경제적인 어려움이 늘 따라다닙니다. 배우자복과 자식복도 좋지 못해 일생이 고독할 수 있습니다.

　이런 외모를 가진 직장 상사는 성질이 고약하고 생각이 짧아 무슨 문제가 생기면 화부터 버럭 내는 타입입니다. 욱하는 성격 때문에 함께 업무를 하는 것이 상당히 껄끄러울 수 있습니다. 시기와 질투 또한 많아 찍히지 않게 조심해야 합니다. 성격도 성격인데 업무 역시 약한 모습을 보여줍니다. 꼼꼼하지 못해 실수가 잦아 함께 일하다 보면 뒤치다꺼리하느라 바쁠 수 있습니다. 최대한 엮이지 마시고 가까이해서 좋을 게 없습니다.

인중이 휜 관상

　부모와 인연이 약할 수 있습니다. 건강운이 좋지 못해 자식이 귀할 수 있으며, 욕심이 많고 의리가 부족해 거짓말이나 남을 속이는 짓을 할 수 있습니다. 당장 눈앞에 보이는 이득을 위해 사람의 믿음을 저버리는 행동에 한치의 거리낌도 없습니다. 충동적이고 쾌락적인 걸 좋아해 인간관계에서 크고 작은 문제가 항상 따라다니며 이성 관계에서도 문제가 생길 수 있습니다. 과시욕이 강해 버는 만큼 소비해 버려 항상 돈 때문에 고생할 수 있습니다.

　이런 외모를 가진 직장 상사는 절대 믿어서는 안 됩니다. 사람을 잘 속이고 거짓 소문을 퍼트려 특정 사람을 괴롭히거나 하는 회사 분위기를 망치는 행동을 할 수 있습니다. 이 사람에게 찍히면 답도 없습니다. 속을 터놓고 어떠한 이야기도 하지 않는 게 좋으며 부하 직원에게 진심으로 대하기보다는 이용할 생각만 할 것이고 필요에 따라 배신까지 할 수 있는 무서운 사람이니 항상 경계하고 의심하는 게 좋습니다.

인중 폭이 아래로 갈수록 좁아지는 관상

자신감이 없고 소심한 성격이 많아 대인관계에 문제가 있을 수 있습니다. 인내심과 결단력의 부족으로 계획이나 목표 정하기에 어려움을 많이 느끼며 어렵게 무언가 결정했다고 해도 중간에 마음을 바꾸는 경우가 많습니다. 기나긴 허송세월을 보내거나 소극적인 태도 때문에 재물운이 약하고 인생에 풍파가 많습니다. 중년 이후부터 운이 하락해, 하는 일이 잘 풀리지 않을 수 있고 자식복까지 약하여 말년에 고달플 수 있습니다.

이런 외모를 가진 직장 상사는 예민하고 걱정이 많은 성격 때문에 직장 내 소통에 문제가 있을 수 있습니다. 우유부단해 무슨 일이든 한 발 뒤로 물러나는 소극적인 태도로 임하다 보니 리더십 있는 직장 상사의 모습은 기대조차 하기가 어렵습니다. 오히려 부하직원 뒤에 숨으려 할 것입니다. 운의 기복이 심하니 될 수 있으면 엮이지 않는 게 좋습니다.

인중 폭이 아래로 갈수록 넓어지는 관상

　이런 인중은 다복하고 부귀하다 해석됩니다. 인중의 길이까지 길면 더할 나위 없겠습니다. 기본적으로 밝고 활발한 성격이 많으며 체력이 좋아 활력이 넘칩니다. 의지가 강하고 무슨 일이든 묵묵히 자신을 발전시키는 타입입니다. 비교적 빠르게 결혼해 가정을 일구거나 집안에 가장 노릇을 하는 경우가 많습니다. 살아가며 고생을 많이 할 수 있지만, 자신의 노력으로 말년운이 좋아 남부럽지 않은 삶을 살아갈 수 있을 것입니다. 자식복이 좋아 말년이 행복합니다.

　이런 외모를 가진 직장 상사는 성격은 정말 좋으나 직장 내에서 그다지 업무적으로는 평판이 좋지 못할 수 있겠습니다. 다만 끈질긴 노력의 천재로서 대기만성형으로 시간이 지날수록 운세가 상승해 잘 풀리게 될 것이니 어려운 시기에 옆을 지키며 힘이 되어주면서 친분을 쌓아 두면 반드시 손해는 보지 않으실 것입니다.

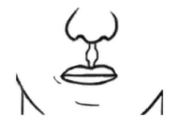

인중 위아래는 좁고 가운데 폭이 넓은 관상

　활력이 넘치는 정력가들이 많습니다. 이기적인 성격이 많으며 중년까지는 인생이 잘 풀리지만, 말년에 들어서면 운이 약해져 늦은 나이에 다소 고생할 수 있겠습니다. 건강에 문제가 생기거나 하던 일이 잘 풀리지 않아 가지고 있던 재산을 지키지 못하는 일이 생겨 경제적으로 어려움을 겪을 수 있습니다. 가족 혹은 자식과의 분쟁이 생겨 고독한 말년을 보낼 수 있습니다.

　이런 외모를 가진 직장 상사는 운의 기복이 심해 삶에 안정감이 없을 수 있습니다. 중년부터 승승장구하며 잘 나갈 확률이 높으니, 함께 하면 좋을 수 있겠으나 중년이 넘어가면서부터 운이 급격하게 꺾이면서 불행이 드리우기 시작합니다. 잘 나갈 때의 돈 씀씀이가 형편이 어려워져도 고스란히 남아 있어 경제적인 어려움으로 금전적인 부탁을 해올 수 있으니 절대 돈거래는 금물입니다. 겉만 번지르르한 왕년에 잘 나가던 사람들이 많습니다.

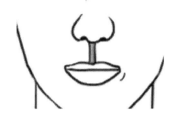

인중 폭이 좁고 깊은 관상

자신의 속내를 잘 드러내지 않고 독립성이 부족합니다. 기본적으로 속이 좁고 편협해 대인관계가 좋지 못하며 야망이 없습니다. 먼 미래보다는 당장 오늘을 위해 최선을 다하는 타입입니다. 매사에 계산적이기 때문에 사소한 것조차 신경을 많이 써 항상 잡생각과 고민이 떠나질 않아 근심 걱정이 많습니다. 자식복이 약해 자식을 두기 어려울 수 있습니다.

이런 외모를 가진 직장 상사는 남들 눈을 의식해 본심을 숨기고 친절하게 챙겨 줄 것입니다. 매사에 생각이 많고 신중하여 실수를 용납하지 않는 타입으로 함께 일할 때 피곤할 순 있으나 부하 직원의 능력을 최대로 발휘할 수 있도록 꼼꼼하게 맞춤으로 업무를 알려줄 것입니다. 일 배우기에 이만한 직장 상사도 없을 것입니다. 소심한 구석이 있어 뒤끝이 상당하니 찍히지 않게 조심해야 합니다.

인중 폭이 적당히 넓고 깊은 관상

　인중의 길이가 짧지 않다면 관상에서는 부귀한 인중으로 봅니다. 이런 인중을 가진 사람은 인내력과 의지가 강하여 이루고자 하는 일은 반드시 이루어 낸다고 하며 품행이 바르고 영리해, 인간관계가 원만합니다. 재물도 잘 모으고 자식복도 좋으며 건강까지 타고나 말년까지 행복하게 장수합니다.

　이런 외모를 가진 직장 상사는 성격도 좋고 리더십도 있어 직장 내 평판이 매우 좋을 것입니다. 직장 생활의 지침서 같은 사람입니다. 직장 생활을 하는 데 큰 도움이 될 것이니 곁에서 업무 스타일을 보고 배우시는 걸 추천해 드립니다.

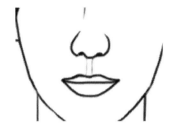

인중이 연한 관상

　내성적이고 얌전한 성격이 많으며 사람들과 잘 어울리지 못하는 경우가 많습니다. 조심성은 많으나 둔감하고 추진력도 부족합니다. 무슨 일이든 계획만 세우고 실행하지 못해, 하는 일마다 진행이 더 뎌서 답답해 보일 수 있습니다. 끝맺음 또한 좋지 못해 늘 결과가 시원치 않습니다. 건강운이 약해 잔병치레로 고생할 수 있고 사치와 낭비가 심해 재산을 지키지 못합니다. 자식운도 약해 고독합니다.

　이런 외모를 가진 직장 상사는 우유부단하고 책임감이 부족해 책임을 회피하려는 특징이 있습니다. 회사 안팎으로 사람들을 만나고 사귀는 것을 달가워하지 않아, 혼자 지내는 걸 좋아합니다. 업무 능력이 부족하기에 회사 생활을 잘하지 못하는 부류에 속합니다. 소심하고 둔감한 사람이지만 무슨 일이 생기면 뱀이 허물을 벗듯 혼자서만 쏙 빠져나가는 타입이라 신뢰하지 않는 걸 추천해 드립니다.

인중에 세로 주름 있는 관상

　차분한 성격이 많고 주위 환경의 영향을 받지 않는 소신과 개성이 있는 사람들이 많습니다. 우직하고 믿음직해 보이지만 깊이 생각하지 않는 타입에 가까워 타인에게 쉽게 이용당하는 경우가 많습니다. 이 때문에 살아가며 크고 작은 풍파가 많습니다. 배우자 복과 자식복이 약하여 자손을 보기 어렵고 겨우겨우 자식을 얻었다 하더라도 다음 대가 끊긴다고 할 만큼 자식이 귀합니다. 자식에게 건강이나 신변에 문제가 생겨 정신적으로나, 물질적으로 힘들어지며 고생하게 됩니다.

　이런 외모를 가진 직장 상사는 주변 동료에게 문제가 생겼다면 그냥 보고 지나치지 못하는 성격의 소유자로 업무능력과 평판은 매우 좋을 것입니다. 그러나 노력에 비해 성과가 늘 아쉽습니다. 평생을 남 좋은 일만 하며 고생하는 고독한 사람이 많으니 잘 챙겨주는 게 좋습니다.

인중에 가로 주름 있는 관상

　운의 기복이 심해 꾸준하고 안정적인 삶을 살아가기 어려울 수 있습니다. 남들 앞에 나서거나 앞장서려다가 망신이나 큰 손실을 보는 경우가 많습니다. 무슨 일이든 극도로 신중할 필요가 있겠습니다. 이성 관계가 복잡해 고통받을 일이 많고 하는 일마다 잘 풀리지 않아 고생할 수 있습니다. 자식운이 약하여 자식을 보기가 힘들며 자식이 있다고 하더라도 자식에게 문제가 생길 확률이 높습니다. 건강운과 자식복이 약해 말년에 고달플 수 있습니다.

　이런 외모를 가진 직장 상사는 나서는 걸 좋아하지만, 빈틈이 많아 선의를 가지고 도우려다 사고를 곧잘 칩니다. 온탕과 냉탕을 오가는 인생사 때문에 일생이 파란만장하지만, 그 어려운 환경에서도 바람을 피우고 다니는 능력자이기도 합니다. 업무적으로만 함께 해야지 회사 밖에서의 사적인 만남까지는 피하는 게 좋겠습니다. 우리 모두를 위해서..

인중에 점이나 흉터 있는 관상

인중에 점이나 흉터가 위치에 따라 해석이 다르긴 하나 모두 흉하다 봅니다. 건강운이 약해 잔병치레로 고생할 수 있고 갑자기 인중에 점이 생겼다면 생식기에 문제가 생기게 됐음을 암시하기도 합니다. 구설이나 싸움에 자주 휘말려 고생을 할 수 있으며 주위에 질이 안 좋은 사람이 꼬여 사기나 사고를 당하기도 하니 사람을 가려 만나는 게 좋습니다. 재물운과 배우자복도 좋지 않아 경제적인 어려움이 뒤따를 수 있습니다. 이 때문에 불안정한 삶을 살아갈 확률이 높아 결혼생활을 유지하는 것이 힘들 수 있습니다. 상황이 좋지 못하더라도 자식을 위해 헌신적으로 일하는 사람이기도 합니다.

이런 외모를 가진 직장 상사는 가정을 내팽개친 게 아닌가 할 만큼 회사 일을 사랑하는 사람입니다. 안타깝게도 노력에 비해 속상할 만큼 성과가 좋지 못하거나 불행한 일이 끊이지 않고 발생하니 함께 하는 일은 최대한 피하며 안전거리 확보는 필수입니다. 직장 상사의 인중에 안 보이던 검은 기색 혹은 점, 흉터가 생겼다면 건강에 문제는 없는지 물어보시고 건강검진을 권하시는 것도 좋습니다. 정말 질병을 발견했다면 말해준 당신에게 큰 빚을 진 것이니 회사에 든든한 내 편이 생긴 것과 같습니다.

제12장 입, 입술

지적인 아름다움이 눈에서 표현된다면 감정적인 아름다움은 입에서 표현된다고들 합니다. 입의 생김새를 통하여 그 사람의 인격, 성향, 건강, 재물 등의 운세를 점칩니다. 입은 60세부터의 말년을 보는 곳이기도 합니다. 입은 작은 것보다 큰 것이 좋으며 입술은 얇은 것보단 두툼한 게 좋습니다. 입술의 크기와 두께는 위아래가 균형 잡히고 입술 색은 혈색이 좋고 밝아야 하며 입꼬리가 위로 올라가 웃는듯한 인상을 주는 입을 귀하다 봅니다.

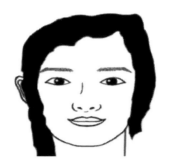

입꼬리 끝이 올라간 웃는 입 관상

무표정하게 있어도 입꼬리 끝이 올라가 미소를 짓고 있는 입을 보셨을 것입니다. 이런 입을 가진 사람은 개방적이고 낙천적인 성격이 많아 대인관계가 좋고 인기도 많을 것입니다. 언제나 긍정적이고 주위 사람들에게 친절해 인복이 좋습니다. 문학과 예술 분야에서 두각을 드러내며 남들보다 많은 출세의 기회가 주어집니다. 어떠한 시련이 찾아온다 해도 반드시 극복하고 성공을 이루어 내는 대기만성 타입이라 볼 수 있습니다.

이런 외모를 가진 직장 상사는 천사 같은 심성의 소유자로 고상하고 이해심이 넓습니다. 매사에 긍정적으로 말하며 낙관적이라 부하 직원들을 잘 챙겨주고 친절히 대해 줄 것입니다. 책임감이 강하고 리더십이 좋아 믿음직스럽습니다. 이 직장 상사 때문에 회사 생활이 힘들어지는 일은 절대 없을 것입니다. 즐거운 마음으로 회사 생활에 적응하시면 됩니다.

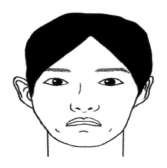

입꼬리 끝이 내려간 관상

평소에 무슨 불만이나 화가 난 것처럼 입꼬리가 처진 사람들이 있을 것입니다. 이런 사람은 불평불만이 많고 부정적이며 비판적인 사람에 가까워 고독합니다. 자기주장과 고집이 세, 사람들과의 다툼이 잦은 탓에 인간관계에서 문제가 끊이질 않습니다. 매사에 의심이 많고 예민해 주위 사람들을 힘들게 합니다. 그래도 책임감과 행동력이 좋아 자수성가하는 사람들에게서 많이 보이는 입이기도 합니다.

이런 외모를 가진 직장 상사는 회사에서 업무적으로는 흠잡기가 힘들 만큼 완벽합니다. 자신의 능력을 증명하고 인정받는 사람들이 많습니다. 문제는 가까운 사람들에게는 잔인할 만큼 퉁명스럽고 냉정하게 대합니다. 상대에게 상처가 될만한 행동이나 말을 여과 없이 하다 보니 부하 직원은 말할 필요도 없겠지요. 불쾌한 말이나 행동에 상처받지 않도록 마음의 준비를 해두는 게 좋습니다.

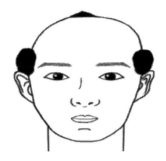

입이 작은 관상

작은 입을 가진 사람은 내성적이고 섬세한 성격의 소유자가 많습니다. 타인의 마음을 잘 헤아리지만, 소심한 구석이 있어 사소한 걸로 잘 삐쳐 사람들과 마찰이 잦을 수 있습니다. 사람을 잘 믿고 의지하려는 성향이 강해 유혹에 쉽게 빠지는 단점이 있어 금전 혹은 이성에게 이용만 당하다 버려지는 경우가 많습니다. 욕심이 크지 않고 소소한 즐거움을 좋아해 작은 것에도 만족할 줄 아는 사람입니다. 주도적으로 남들 앞에 나서거나 리드하는 걸 좋아하지 않으며 무언가를 하고자 하는 의지는 있으나 그릇이 작다는 소리를 들을 만큼 배짱과 추진력이 부족해 개인 사업과는 맞지 않습니다.

이런 외모를 가진 직장 상사는 내성적이라 말수도 없고 첫인상이 차가울 수 있으나 본성이 나쁜 사람은 아닙니다. 주위 사람들을 잘 살피고 부족한 부분을 채워줄 것입니다. 자기주장이 약해 쉽게 휘둘리고 결단성의 부족으로 믿음직하진 않지만, 가깝게 지내서 손해 보는 일은 없으실 겁니다. 이상한 걸로 엮이지만 않는다면 말이죠. 성향상 내향적인 사람과는 제법 잘 맞습니다.

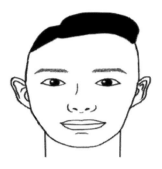

입이 큰 관상

활력이 넘치고, 외향적이라 남들 앞에 나서는 걸 좋아합니다. 호탕하고 쿨한 성격 때문에 약간 가벼워 보이는 단점이 있지만, 인기가 많고 사람을 좋아해 사람들이 많은 곳을 찾아다니는 편입니다. 개방적이다 보니 이성 문제로 고생하는 경우가 종종 있습니다. 야망이 크고 배짱과 추진력이 좋아 어딜 가든 우두머리가 되고 싶어하며 사업 수완도 좋아 자신의 재주를 활용해 큰 성공을 하는 사람이 많습니다.

이런 외모를 가진 직장 상사는 성격이 좋고 포용력이 뛰어나 부하 직원을 정말 편하게 대해줄 것입니다. 약간 털털해 업무적으로 허점이 많아 사고를 치긴 하지만 뛰어난 언변과 센스로 잘 무마시키는 재주가 있습니다. 이 직장 상사에게 큰 실수를 하더라도 화내는 건 그때뿐 뒤끝이 없어 직장 생활을 하는 데 있어 큰 스트레스를 주지는 않을 것입니다.

다물어지지 않는 돌출된 입 관상

이런 입을 가진 사람은 건강운이 약할 수 있으며 고독합니다. 생각이 짧고 자기 주관이 불분명해 이리저리 끌려다니며 이용만 당하는 경우가 많습니다. 눈치도 없고 끈기와 책임감이 부족해 굴러들어 온 복도 잡지 못하여 후회하는 일이 많습니다. 재물이 모이지 않아 경제적 어려움으로 평생을 고생할 수 있습니다. 산만하고 성질이 급해 말을 빠르게 하는 특징이 있는데 겉보기에 언변이 좋아 보이지만 말을 빠르게 많이 뱉는 만큼 말실수가 잦습니다. 유혹에도 약해 이성 관계가 문란하거나 바람을 피우는 일도 있습니다.

이런 외모를 가진 직장 상사는 경솔한 행동이나 말실수로 회사에서 평판이 좋지 못한 경우가 많습니다. 사적인 이야기는 최대한 하지 않는 선에서 친분을 쌓아 둔다면 입이 가벼워 비밀이나 고급 정보를 들을 수 있는 정보통이 생기는 것과 같습니다. 사람이 무게가 없고 신경질적이지만, 심성이 삐뚤어진 악한 사람은 아닙니다. 날카로운 말에 상처받지 않도록 항상 마음의 준비를 해두시는 게 좋겠습니다.

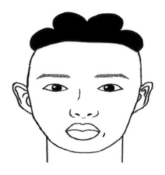

입술이 두꺼운 관상

흔하지 않은 입술로 입술 위아래 모두 두툼한 사람들을 보셨을 것입니다. 두꺼운 입술은 얇고 작은 것보다는 귀합니다. 입술이 두꺼우면 자의식이 강하고 사고력이 뛰어납니다. 정이 많고 배려심이 깊어 사람들에게 인기가 많습니다. 인복과 재물복이 좋아 큰 어려움 없이 평탄한 인생을 살아갈 수 있을 것입니다. 성격은 솔직하고 자유분방합니다. 재주가 뛰어나고 행동력이 좋아 출세하기 좋습니다. 단점으로는 모든 이에게 과하게 친절해 이성 관계가 복잡할 수 있습니다.

이런 외모를 가진 직장 상사를 우직하고 솔직해 믿음직한 사람입니다. 남을 잘 돕고 이해심이 깊어 친절하게 업무를 알려줄 것입니다. 무슨 일이든 자기 일처럼 도와주고 챙겨주는 믿음직한 보호자 같은 존재일 것입니다. 직장 생활은 걱정 안 하셔도 될 거 같습니다. 조심할 것은 사적인 연락은 피하는 게 좋습니다. 이성 관계가 복잡할 수 있으니..

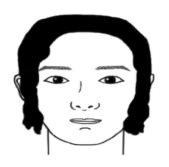

입술이 얇은 관상

입술 위아래가 모두 얇은 사람은 스트레스를 쉽게 받아 몹시 예민하고 까칠한 사람이 많습니다. 남에게 인색하며 쉽게 정을 주지 않고 친분이 쌓여도 겉으로 잘 드러내지 않습니다. 변덕이 심하며 약속을 잘 어기고 남을 비판하는 걸 좋아해 입으로 말썽을 만드는 경우가 많습니다. 감성보다 이성을 택하는 계산적인 타입으로 냉정하지만, 머리가 좋고 눈치가 빨라 사람들과의 관계가 나쁜 편은 아닙니다. 어떤 환경에서도 자수성가할 수 있는 야망과 의지력이 있다. 해석됩니다.

이런 외모를 가진 직장 상사는 업무적으로 완벽주의자 스타일로 사람들에게 한없이 까칠해 누구와도 잘 지내지 못할 것입니다. 특히 한번 밉보이면 회사 생활 난이도는 급상승!!! 무자비해 보일 만큼 상대를 힘들게 할 것입니다. 한번 관계를 정리하면 가차 없는 타입입니다. 보기에는 찔러도 피 한 방울 안 나오는 소시오패스처럼 보이지만 생각보다 마음이 여리고 솔직한 편이니, 문제가 있다면 솔직 담백한 대화로 잘 푸는 게 좋습니다.

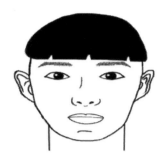

아랫입술이 두꺼운 관상

윗입술은 얇은데 유독 아랫입술이 두꺼운 사람을 보셨을 것입니다. 이런 입술은 자기주장이 강하고 고집불통이 많아서 사람들과의 마찰이 잦고 미움을 사는 경우가 많습니다. 언변이 남다르게 뛰어나지만, 남에게 인색하고 계산적으로 굴어 이기적인 사람으로 통할 것입니다. 남들에게 정이나 사랑을 주지 않고 받을 줄 만 압니다. 욕망이 강하며 쾌락적인 것을 좋아해 무언가에 빠지게 되면 무서운 집착을 보여줍니다.

이런 외모를 가진 직장 상사는 타인에 대한 배려가 부족하고 이기심이 강해 함께 있으면 피곤함의 연속일 수 있습니다. 뛰어난 언변과 달콤한 말로 사람들을 장악하는 능력이 뛰어나 위험하기까지 합니다. 가깝게 지내서 득 될 게 전혀 없으니 될 수 있으면 피하시는 게 좋습니다.

윗입술이 두꺼운 관상

　이런 입술을 가진 사람은 소심하여 나서는 걸 좋아하진 않지만, 의리가 있고 사교성이 좋아 누굴 만나도 금방 친해지는 능력이 있습니다. 정도 많고 사랑도 잘 주는 따뜻한 사람이지만, 베풀어 주는 것만큼 돌려받지 못하는 경우가 많습니다. 짝사랑이나 이용만 당하는 경우가 많아 속병을 앓는 경우가 많을 수 있습니다. 이 때문에 인간관계는 좋으나 이성운이 약합니다.

　이런 외모를 가진 직장 상사는 지나칠 정도로 타인에 대한 배려심이 강합니다. 어느 정도 신뢰가 쌓인다면 온 힘을 다해 당신을 도와줄 것입니다. 욕망이 없고 현실에 만족하는 타입으로 뭐든 적당히 하는 걸 좋아해 함께 하는 부하 직원들은 업무적 부담감이 적어서 좋습니다. 리더의 자질은 부족하지만, 평생 함께하기 좋은 직장 상사나 직장 동료라 생각하시면 좋을 것 같습니다.

윗입술이 돌출된 관상

유행에 민감하고 독특한 개성을 가지고 있습니다. 말하기를 좋아하지만, 언변이 영 좋지 못하여 오해를 잘 만드는 편입니다. 행동이 경솔하고 덜렁거려 조심성이 없습니다. 불의를 보면 참지 않는 면도 있으며 책임감 있고 성실하다는 장점이 있지만, 사람 자체가 방정맞고 가벼워 본인 실수로 다치거나 손해를 보는 경우가 종종 있습니다. 무슨 일이든 자신의 위치에서 최선을 다해 노력하는 타입으로 어디를 가도 자신의 능력을 인정받습니다.

이런 외모를 가진 직장 상사는 사교성과 말재주가 좋아 부하 직원이 다가가기 부담 없는 타입이지만 융통성이 부족하고 짜증과 잔소리가 심합니다. 이상한 별난 구석을 가지고 있어 함께 일하다 보면 난처한 상황이 많이 발생할 수 있습니다. 사람은 좋으나 업무 중 실수도 잦으니 항상 경계해야 합니다.

아랫입술이 돌출된 관상

활력이 넘쳐 외향적인 성향이 강합니다. 자기주장과 고집이 세,
사람들과의 의견 차이로 마찰이 잦습니다. 욕심이 많고 자존심이
강해 자기 잘못을 절대 인정하지 않습니다. 반항심이 강하여 윗사
람들과의 트러블이 심할 수 있겠고, 사람과의 마찰이 잦다 보니 사
람을 싫어하는 사람처럼 보이기도 하는데, 의외로 외로움을 많이
타는 편입니다. 관심이나 사랑받는 것에 대한 집착이 강해 항상 사
랑을 갈구합니다. 쾌락적인 것에 약해 잘못된 길로 들어서 고생을
할 수 있습니다.

이런 외모를 가진 직장 상사는 매우 냉정하고 의심이 많아 부하
직원이라 해도 쉽사리 마음을 열지 않을 것입니다. 업무적으로 예
민하여 함께 일하기에 쉽지 않습니다. 또한, 안팎에서 무슨 짓을 하
고 돌아다니는지 알 수 없는 사람이라 언제 터질지 모르는 시한폭
탄과 같습니다. 사고 칠 때 괜히 옆에 있다 휘말려 피해를 볼 수
있으니 항상 조심해야 합니다.

입술이 비뚤어진 관상

생각 없이 뱉는 말들 때문에 평생 고생합니다. 오만하고 비판적인 말투 때문에, 인간관계에 부정적입니다. 거짓말이나 안 해도 될 쓸데없는 말을 많이 하다 보니 사람들과의 불화가 잦고 자신의 이미지를 실추시키는 일이 많습니다. 자의식이 강하고 독립적인 성격을 가지고 있어 남의 조언이나 부탁도 들으려 하지 않습니다. 머리가 좋고 계산적이라 자신의 이익을 위해서라면 배은망덕한 짓도 서슴지 않습니다. 말년에 운이 꺾여 일이 잘 풀리지 않을 수 있습니다.

이런 외모를 가진 직장 상사는 예민하고 신경질적이라 잔인할 정도로 독설을 내뱉어 주위 사람들에게 상처를 줄 것입니다. 마주치지 않는 게 정신건강에 좋겠지만, 불행하게도 옆자리 혹은 사수 같은 어쩔 수 없는 상황이라면 업무 이외에는 최대한 사적인 대화를 피하며 선을 긋는 게 좋습니다. 날카로운 말은 한 귀로 듣고 한 귀로 흘리는 게 최선입니다.

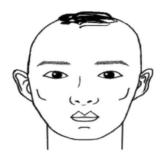

입술산이 선명하고 뾰족한 관상

날카로운 말을 잘하고 세상 예민합니다. 오만해 보일 만큼 고집이 세고 자존심과 자기주장이 강해 남에게 절대 고개를 숙이지 않습니다. 고집과 자존심 때문에 인간관계가 부정적입니다. 긍정적인 면은 의지가 강해 한번 마음먹으면 무섭게 파고들어 완벽하다는 소리가 나올 만큼 잘합니다. 책임감도 강하고 가식이 없어 고집만 빼면 괜찮은 성격이지만, 한번 폭발하면 매우 폭력적인 성향으로 돌변할 수 있습니다. 말이 거칠어 인격적으로는 평판이 안 좋을 수 있습니다.

이런 외모를 가진 직장 상사와 함께 일하다 보면 고집을 왜 저렇게 부리나, 왜 쉽고 편한 길을 놔두고 험난한 길을 굳이 가는 것인지 이해하기가 어려울 수 있습니다. 사람을 대하는 걸 보고 있자면 성격 파탄자에 바늘로 찔러도 피 한 방울 안 나올 거 같은 냉혈한 같이 보이지만 실상은 소녀 감성을 지닌 여린 내면의 소유자가 많습니다. 사람을 대하는데 서툰 것으로 생각하고 이해를 하는 게 좋겠습니다.

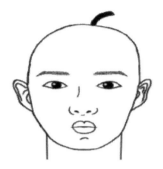

입술이 앵두 같은 관상

입술이 작고 두툼하며 입술 색이 붉어 앵두처럼 예쁜 입을 가진 사람들이 있습니다. 보통은 여성에게서 많이 보이는 입이며 미적으로 아름다워 보입니다. 사람들에게 친절하고 온순해 대인관계가 좋습니다. 특히 이성에게 인기가 많고, 어딜 가든 예쁨 받습니다. 좋은 머리를 타고나 공부로 크게 출세하는 사람이 많습니다. 보수적이며 안정적인 것을 좋아해 새로운 도전이나 변화를 싫어합니다.

이런 외모를 가진 직장 상사는 성품이 바르고 포용력이 좋아 부하 직원이 회사 생활에 적응할 수 있도록 최대한 편의를 봐줄 것입니다. 옆에서 함께 일하다 보면 왜 인기가 많은지 알 수 있을 것입니다. 단점으로는 과도한 걱정과 우유부단함이 있으며 말실수나 복잡한 이성 관계 때문에 구설수 같은 것으로 고생할 수 있으니, 사적으로는 엮이지 않는 게 좋습니다.

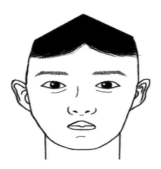

세모처럼 생긴 입술 관상

외적으로는 매력적으로 보여 사람들에게 꽤 인기 있는 입술이지만 관상에서는 그리 긍정적으로 보지 않습니다. 이런 입술의 소유자들은 자기 잘난 맛에 사는 사람들이 많고 자기중심적입니다. 교만한 성격으로 사람들에게 미움을 사는 경우가 많습니다. 또한, 타인의 감정은 신경 쓰지 않고 뾰족한 말을 잘하며 허영심이 많아 남들과 비교하는 걸 좋아합니다. 책임감은 있으나 실행력과 끈기가 부족해 누군가가 앞에서 끌어 주어야 출세할 확률이 높습니다. 그래서인지 연예인들에게서 많이 보이는 입술이기도 합니다. 변덕이 심하고 정신력이 약해 혼자서 무언가를 해보려 해도 하는 일이 뜻대로 잘 풀리지 않습니다. 유혹에도 약해 이성 관계가 복잡해 고생할 수 있습니다.

이런 외모를 가진 직장 상사는 외모로는 매력적이지만 사회성은 약간 떨어지는 경우가 많습니다. 우선 자기애가 너무 강해 이기적이고 잘난 척을 좋아해 옆에 있으면 피곤할 수 있겠고 상당히 수동적이라 함께 업무를 하게 되면 타인의 입장을 전혀 고려하지 않는 행동이나 말을 곧 잘하여 왜 저러나 싶을 정도로 답답할 수 있습니다. 직접 밥을 떠먹여 줘야 잘하는 타입입니다.

입술에 주름이 많은 관상

　입술에 선명한 세로 주름이 많다면 매사에 부정적이고 남을 깎아내리는 걸 좋아하는 삐뚤어진 성격이 많습니다. 그 때문에 인간관계가 그다지 좋지 않을 수 있어 주위에 사람이 많지 않습니다. 초년부터 중년까지의 운이 좋아 남부럽지 않은 행복을 누리며 살아가다가 중년 이후부터 운이 서서히 시들해져 말년에는 정말 좋지 못합니다. 건강에 문제가 생기거나 극도로 고독할 수 있습니다. 입술에 잔주름이 너무 많다면 정신이나 인격적으로 문제가 있다고 봅니다. 경제적인 어려움으로 처량한 말년을 보내게 될 수 있습니다.

　이런 외모를 가진 직장 상사는 불평불만도 많고 남을 험담하는 걸 좋아해 언제 내가 표적이 될지 모르니 늘 경계해야 합니다. 거짓말도 잘하고 입이 가벼워 마음을 터놓고 지내기에는 무리가 있는 부류일 수 있겠습니다. 중년까지의 운이 좋아 회사에서 승승장구하고 있을 것입니다. 약간 속물 같지만, 이 사람의 현재 나이를 생각해 보고 판단하시는 게 좋겠습니다.

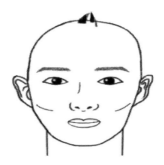

입술에 주름이 없는 관상

차갑고 차분한 이미지의 소유자로 겸손이 부족하며 과시하는 걸 좋아해 대인관계가 좋지 못합니다. 대인관계뿐만 아니라 혈육과도 가깝게 지내지 못할 확률이 높으며, 매사에 자신의 이득만을 생각하는 계산적인 성향이 강해 상대에게 상처를 주는 경우가 많습니다. 주변 사람에게 극도로 무관심하며 이성에게도 크게 관심을 두지 않습니다. 그 때문에 배우자복과 자식복이 약해 고독한 일생을 보낼 수 있습니다.

이런 외모를 가진 직장 상사는 평소 의욕이 없고 직장 내에서 평판도 그다지 좋지 않을 것입니다. 업무 능력만 보더라도 결코 좋은 편은 아닙니다. 부하 직원은 자신에게 도움이 될 만한 사람인지 아닌지를 철저하게 따져 본 후 옆에 둘지 멀리할지를 정합니다. 당신에게 한없이 차갑고 무관심하다면 이용할 가치가 없는 것이고, 당신에게 친절하다면 이용할 가치가 있는 사람입니다. 이용당하지 않기 위해서는 항상 적당하게 거리를 두는 것이 좋습니다.

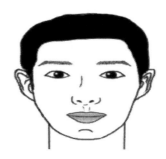

입술 색이 어두운 관상

매우 독립적이고 자기 소신이 강하여 주위 환경이나 사람의 영향을 받지 않는데, 그 때문인지 스트레스에 강한 면이 있습니다. 용감하고 행동력은 좋은 좋으나 이기적이고 독한 성격이 많습니다. 고집이 엄청나서 자신의 실수를 잘 인정하지 않으려는 특징이 있습니다. 건강운이 약해서 건강에 항상 신경을 쓰는 게 좋습니다. 살아가며 크고 작은 풍파가 찾아오기 때문에 하는 일마다 잘 풀리지 않을 수 있습니다. 이성에 대한 집착이 강해 한 명만으로는 만족하지 못하여 바람기가 강할 수 있습니다. 배우자복과 자식복이 약해 고독할 수 있습니다.

이런 외모를 가진 직장 상사는 머리가 좋아 업무능력이 뛰어나지만, 문제는 사회성이 없다는 것입니다. 외로운 한 마리의 늑대와 같습니다. 한번 마음먹은 일은 뜻을 굽힐 줄을 모르는 고집불통에 자신의 야망을 위해서만 움직이는 무서운 사람입니다. 함께 일하기 위해서는 많은 고통을 감수해야 할 것입니다.

입술 선이 흐릿한 관상

입술 선이 흐리다면 관상에서는 부정적으로 봅니다. 심지어 입술이 얇기까지 하면 더욱 흉합니다. 이런 입술은 세상사에 무관심하고 열정도 욕망도 없다 보니 재물복이 약해 평생 경제적인 어려움이 따르며 싫증을 잘 내고 변덕이 심해 무언가를 진득하게 하지 못합니다. 그 때문에 인생에서 무엇 하나 제대로 이루어 내는 것이 없어 안정감과는 거리가 있는 삶을 살아갈 확률이 높습니다. 재물복과 자식복이 약해 노년에 큰 어려움에 부닥치게 될 수 있습니다. 반드시 끈기를 길러야 하는 관상입니다.

이런 외모를 가진 직장 상사는 개방적이고 밝은 성격이지만 능력적으로 부족한 부분이 많아 회사에서 한 사람 몫을 해내기도 벅찰 수 있습니다. 타고나길 남들보다 부족하게 태어난 것은 아니지만, 노력 자체를 잘하려 하지 않습니다. 운도 잘 따르지 않아 결과도 늘 만족스럽지 않습니다. 나름대로 계획도 세우고 노력해 보지만 그마저도 그리 오래가지 못합니다. 얌체처럼 자기 편해지자고 부하 직원을 이용하려 할 수 있으니 가능한 피해 다니는 것이 좋겠습니다.

입술 선이 뚜렷한 관상

뚜렷한 입술 선은 관상에서 귀하다 해석됩니다. 무슨 일이든 맺고 끊는 것이 확실하고 마음먹은 일은 반드시 해내려는 끈기와 근성이 있습니다. 답답할 만큼 원칙을 중요시합니다. 주변인들과의 마찰이 잦은 편이지만 불의를 보면 못 참는 성격 때문에 생기는 마찰이라서 주변인들에게 덕망이 두텁습니다. 재물복이 좋아 경제적인 어려움이 없고 자식복 또한 좋아서 말년까지 평탄한 여유로운 삶을 살아갈 확률이 높습니다.

이런 외모를 가진 직장 상사는 요령을 피우지 않고 소신 있게 자기 일만 하는 타입이라서 보기에 따라 말도 안 통하는 답답한 꼰대처럼 보일 수 있습니다. 단점만 이해한다면 능력 있고 사려 깊은 훌륭한 직장 상사입니다. 입사 후 직장 내에서 안정적으로 자리를 잡고 싶으시다면 롤모델로 삼아서 믿고 따르는 것을 추천합니다.

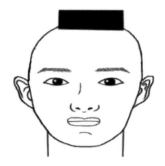

네모난 입술 관상

　머리가 좋고 재주가 뛰어나, 어떠한 분야에서든 두각을 드러냅니다. 오직 자신의 힘으로 노력하여 출세해야 하는 입술이기도 합니다. 소심한 성격이지만 대담한 판단력과 위기 대처 능력이 탁월해 어떠한 시련이 온다 해도 흔들림 없이 극복하는 능력이 있습니다. 고지식해 보일 정도로 올곧고, 정직해 욕심을 부리지 않고 과시하는 걸 좋아하지 않습니다. 인복과 재물복이 좋아 자신의 노력 여하에 따라서 초년부터 잘 풀리는 경우가 많습니다.

　이런 외모를 가진 직장 상사는 능력 있고 인성까지 겸비한 좋은 직장 상사임은 틀림없습니다. 다만 융통성이 없고 고지식한 부분이 있어 같이 일하다 보면 답답한 상황이 종종 있을 수 있겠습니다. 은근히 소심한 구석이 있어 뒤끝이 조금 있습니다. 누가 뭘 하든지 묵묵하게 자기 일에 최선을 다하는 타입이라서 장인의 경지에 이른 사람들이 많습니다. 재미는 없는 사람이지만 회사에서 믿고 따라도 될 만큼 괜찮은 사람임은 틀림없습니다.

제13장 치아

　이목구비뿐만 아니라 치아 역시 관상을 볼 때 눈여겨보아야 하는 곳 중 한 곳입니다. 관상에서 입을 문이라 한다면 치아는 문을 지키는 파수꾼이라 빗대어 표현합니다. 치아 생김새를 통해서 그 사람의 인격, 인복, 건강, 재물운, 식복 등의 운을 점칩니다. 치아는 결손이 난 곳이 없고 가지런하며 균형 잡힌 치아를 귀하다 봅니다. 치아의 색은 밝고 하얀 치아가 좋습니다. 치아 색이 어둡거나 지나치게 하얀 치아는 흉하게 봅니다. 치아 배열이 불규칙하거나 빠진 치아는 운의 하락으로 해석하니 반드시 치료하는 게 관상학적으로 좋습니다.

길고 균형 잡힌 가지런한 치아

재능을 타고났으며 쾌활하고 낙천적인 성격이 많습니다. 바른 심성을 가지고 있으며 인복과 건강운이 좋아서 하는 일마다 잘 풀리고 장수한다고 전해집니다. 책임감과 끈기가 좋아 우직하게 밀어붙여 크게 출세하는 경우가 많습니다. 인복과 가족운이 좋아 화목한 가정을 꾸리고 살아가게 될 것입니다.

이런 외모를 가진 직장 상사는 대인관계가 좋아 회사 내 평판이 아주 좋을 것이며, 자신을 계속해서 발전시키는 노력파입니다. 당연하게도 회사 내에서 승승장구하는 능력자일 확률이 매우 높습니다. 법 없이도 살 만큼 정직하니 공적이든 사적이든 믿고 따르기 좋은 괜찮은 직장 상사입니다.

치아가 안쪽으로 들어가 있는 관상

　치아가 안쪽으로 오그라진 듯한 치아를 가진 사람들이 있는데 흔히 옥니라 부릅니다. 이런 치아를 가진 사람은 내향적이고 말재주가 없는 편입니다. 겉으로는 조용하고 내성적인 사람으로 보이지만 내면에 강인한 자아가 잠들어 있습니다. 속내를 쉽게 드러내지 않는 음흉한 구석이 있으며 강한 집념과 고집이 있어 마음먹은 일은 반드시 이루고야 마는 야망가들이 많습니다. 소탈하고 검소하여 짠돌이, 짠순이들이 많고 경제관념이 철저해 평생 금전적인 어려움 없이 살아갈 수 있습니다. 능력은 출중하지만, 우두머리보다는 이인자 정도의 위치에서 최고의 능력을 발휘할 수 있는 것 또한 특징입니다.

　이런 외모를 가진 직장 상사에게는 조용하고 순해 보인다고 만만하게 보고 함부로 했다가는 큰코다칠 수 있습니다. 큰 실수나 잘못으로 눈 밖에 나서 찍히면 회사 생활이 거기서 끝난 것 같습니다. 가슴에 담아두었다가 반드시 복수하는 타입으로 무서운 뒤끝을 가지고 있습니다. 최대한 존중과 배려, 양보하며 트러블을 일으키지 않는 선으로 원만하게 지내는 게 본인을 위해서 이롭습니다. 뒤끝이 정말 무서운 사람입니다..

돌출된 치아 관상

　외향적이고 개방적인 성격이 많습니다. 사람들과 어울리는 걸 좋아해 이성 관계가 복잡할 수 있습니다. 자기주장이 매우 강하며 말하기를 매우 좋아하고 재치가 있어 언변 능력이 필요한 직업군에서 큰 재능을 발휘해 출세하기도 합니다. 문제는 입이 가벼워 살아가며 구설수나 크고 작은 시비에 휘말리는 경우가 많습니다. 자식복과 배우자복이 약할 수는 있으나 끈기 있고 강한 생활력을 지닌 사람이라서 어떤 어려운 환경에서도 자신의 노력을 통해 안정적인 삶을 살아가게 될 확률이 높습니다. 리더의 추진력과 야심을 지니고 있어 리더의 자질도 있으나 경솔한 말이나 나서면 안 될 상황에서 괜히 나섰다가 망신이나 손해를 보는 경우가 많습니다.

　이런 외모를 가진 직장 상사는 업무능력과 함께 사교성까지 좋아 회사 내에서 평판이 꽤 좋을 것입니다. 말재주와 유머 감각이 있어 부하 직원 처지에서는 편하고 재밌는 사람이지만, 입이 가벼워 마음을 터놓고 가깝게 지내기에는 다소 무리가 있습니다. 또한, 타인을 구속하려는 성향이 강하여 부하 직원에게 끝없는 잔소리와 함께 사사건건 간섭하고 갈구며 못살게 굴 수 있습니다.

앞니 사이가 벌어진 관상

　몸 쓰는 일에는 능하지만, 머리 쓰는 일에 약합니다. 본능에 따라 움직이는 행동파이며, 참을성이 부족하고 충동적이라 반항아 기질이 강하여 사고를 잘 칩니다. 인간관계에 항상 문제가 따르며 특히 부모를 포함한 윗사람과의 관계가 나쁘다 봅니다. 또한, 재물운이 약하여 금전적인 어려움이 끊이지 않습니다. 건강운이 나쁘고 사고수까지 있어 재물과 건강을 모두 지키지 못할 수 있습니다. 이런 관상을 부정적으로 보는 이유는 벌어진 앞니 사이로 좋은 기운이 다 빠져나가 버려서 하는 일마다 잘 풀리지 않는다. 해석하기 때문입니다.

　이런 외모를 가진 직장 상사는 몸을 쓰는 현장에서는 타고난 에이스, 사무실에서는 영 좋지 못한 모습을 보여줄 것입니다. 당돌해 보일 만큼 생각이 짧아 회사의 골칫거리일 확률이 높습니다. 강자에게 강하고 약자에게 약한 타입이라 성격은 약간 거칠지만, 아랫사람은 잘 챙겨주고 잘해주니 크게 걱정 안 하셔도 됩니다.

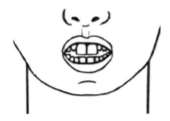

앞니가 큰, 토끼 같은 치아 관상

낯을 조금 가리지만 친분이 쌓으면 개방적이고 쾌활한 성격이 많습니다. 호기심이 많고 머리가 좋아 공부에 재능이 있는 사람들이 많습니다. 사람을 만나는 걸 즐기며 주변 사람들에게 사랑받습니다. 당연하게도 이성에게 인기는 많으나 이성 때문에 고생할 수 있습니다. 매력적이고 입담은 좋지만, 허풍이 심하고 말을 너무 많이 하다 보니 말실수가 잦아 망신을 잘 당합니다. 인복이 좋아 살아가며 남들보다 많은 도움이나 기회가 주어지다 보니 큰 어려움 없이 노력한 만큼 무난하게 성공할 수 있는 좋은 관상이기도 합니다.

이런 외모를 가진 직장 상사는 매력적인 외모와 더불어 탁월한 인간관계에 업무능력까지 겸비해 회사에서 평판이 아주 좋을 것입니다. 업무를 알아서 척척 하는 스타일이라 부하 직원들의 롤모델 그 자체와 같죠. 성격과 입담이 좋아 함께 있으면 즐거울 수는 있지만, 변덕이 심하고 사람 자체가 가벼우며 이성 관계가 복잡할 수 있으니, 사적으로는 적당한 거리를 두는 것이 좋습니다.

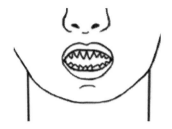

상어처럼 뾰족한 치아 관상

선천적으로 건강에 문제가 있거나 임신했을 때 부모님의 건강에 이상이 있었을 수 있습니다. 감정에 기복이 심하고 충동적이며 겁까지 없어서 한번 수가 틀어지면 아무도 말릴 수가 없습니다. 그 어떤 사람이라 해도 곁에 있으면 분란이 생기는 타입입니다. 인복이 약해 부모, 형제, 자식과의 인연이 약하며 사회생활이나 인간관계에서도 문제가 끊이지 않습니다. 유혹과 쾌락적인 것에 쉽게 빠져 방탕한 생활을 오래 할 수 있습니다.

이런 외모를 가진 직장 상사는 성격이 괴팍하고 이기적이라 함께 일하기 매우 피곤할 수 있습니다. 하극상을 잘해 윗사람들에게 예쁨을 받지 못하는 사람입니다. 사고뭉치에 아무리 오랜 시간을 함께 일해도 사람의 믿음을 쉽게 져버릴 수 있으니 경계를 늦춰서는 안 될 위험인물입니다.

치아가 큰 관상

　매사에 열정적인 행동파가 많습니다. 자기주장이 강하며 어딜 가서든 사람들을 리드하는 것을 좋아합니다. 성격이 호탕하고 대범하여 사람들에게 인기가 많습니다. 책임감이 강하고 성실하기까지 하여 주변인들의 신망이 두텁습니다. 남들 눈을 지나치게 의식해 받지 않아도 될 압박감을 만들어 느끼는 편이라, 스트레스를 많이 받을 수 있습니다. 감정에 쉽게 휩쓸리며 자제력을 잃고 제멋대로 행동하는 때도 있습니다. 승부욕과 욕심으로 무리하게 일을 벌였다가 크게 망하는 사람들이 많습니다.

　이런 외모를 가진 직장 상사는 뒤끝이 없는 쿨한 성격이라 성격적으로는 함께하기 좋습니다. 문제는 잔소리가 많고 오지랖이 너무 넓어 옆 사람을 피곤하게 할 수 있습니다. 또한, 자기주장이 지나치게 강해 타협을 잘하지 않으며 쉽게 끝날 일을 복잡하게 만들어 팀원들에게 피해를 주거나 안 해도 될 일감을 가져오는 만행을 저지르는 경우가 종종 있습니다.

치아가 작은 관상

　꼼꼼하고 까다로워 예민한 성격이 많습니다. 모험심이 없고 위험부담을 극도로 싫어합니다. 절약 정신이 남다르며 치밀하게 계획을 세우는 걸 좋아합니다. 유행에 민감해 특이하거나 새로운 것은 좋아합니다. 경계심이 강해 남을 잘 믿지 않는 편입니다. 매사에 신중하고 침착하며 사소한 것에 한 번 꽂히면 강한 집착을 보이며 달려들어 분란을 일으키는데 이런 특징 때문에 미움을 사기도 합니다. 건강운이나 금전운이 약하지만, 눈치가 빠르고 진취적이라 자신의 노력으로 결국은 남부럽지 않은 인생을 살아가는 사람들이 많습니다.

　이런 외모를 가진 직장 상사는 상황 판단이 빠르고 무슨 일이든지 안정감 있게 일을 하는데 회사 내에서 일 잘하는 걸로 평판이 좋은 사람일 것입니다. 문제는 사람을 잘 믿지 않고 질투심이 많아 이기적으로 비칠 수 있습니다. 자신의 이익을 가장 중시하며, 성격이 소심하고 예민해 언제 급발진할지 모릅니다. 항상 눈치를 살피는 게 좋습니다.

치아가 긴 관상

자기주장이 강하고 도도하며 대담한 성격이 많습니다. 상황에 따라 매우 충동적이고 때론 사나워서 공격적으로 보이기도 합니다. 끈기가 좋아 자신의 노력을 통해 평생 큰 어려움 없이 살아갈 확률이 높습니다. 갑자기 치아가 길어진 듯한 느낌이 든다면 건강에 문제가 생겼음을 뜻합니다.

이런 외모를 가진 직장 상사는 신속, 정확, 센스까지 겸비해 업무적으로는 흠잡을 곳이 없는 일꾼입니다. 직장에서 롤모델로 삼아도 좋을 만큼 업무적으로 뛰어나지만, 문제는 성격이 충동적이고 괴팍해 언제 돌변할지 모릅니다. 항상 눈치를 보면서 비위를 맞춰야 하는 고통이 있을 수 있습니다.

덧니가 있는 치아 관상

이가 삐죽 튀어나와 옆에 포개져 나온 치아를 가진 사람들을 자주 보셨을 겁니다. 미적으로 귀여워 보이기 때문인지 주변인들의 사랑을 받고 이성에게 인기도 많지만, 질투심이 강하고 고집이 보통이 아니라 이성과의 다툼이 잦습니다. 생활력이 좋고 재주가 좋아 남들보다 빠른 나이에 출세하기도 합니다. 성격은 다정하고 애교가 많은 편이지만 남을 험담하기를 좋아하고 주위에 악인이 꼬여 피해를 보기 쉽습니다. 쉽게 상처받고 우유부단해 인간관계에 있어 여러 문제로 고통을 받을 수 있습니다.

이런 외모를 가진 직장 상사는 고집불통에 잘 삐치고 짜증을 잘 부려 난이도가 제법 있다 할 수 있습니다. 기본적으로 일하는 요령이 좋아 옆에서 일을 배우기는 좋으나 기분파에 엉뚱하고 제멋대로 행동하는 경우가 많아 함께 일하기 상당히 골치가 아플 수 있습니다.

잇몸이 많이 보이는 관상

　낙천적이고 솔직한 성격이 많습니다. 생각이 짧고 사고력도 약한 데다 쓸데없이 솔직한 편이라 본의 아니게 누군가에게 상처를 주거나 비밀을 누설해 버리는 만행을 저지르기도 합니다. 남다른 희생정신으로 사람들에게 이용만 당하다 손해를 보는 경우가 많습니다. 사교성이 좋아 인간관계에 있어 인기와 평판은 좋지만, 쾌락적인 걸 좋아하고 유혹에 약하여 이성 관계 때문에 고생할 수 있습니다.

　이런 외모를 가진 직장 상사는 부하 직원을 살뜰하게 잘 챙겨줍니다. 상대를 편하게 맞춰주기 때문에 함께하기 좋은 직장 상사임은 틀림없지만 우유부단하고 감성적이라 정에 쉽게 휘둘립니다. 결단력에 문제가 있어 팀을 사지로 몰아넣는 경우가 많아 리더가 지녀야 할 자질에는 문제가 있을 수 있습니다.

심하게 불규칙한 치아 관상

　이기적이고 교활한 꼬인 성격이 많습니다. 자기중심적인 성향 때문에 타인과의 마찰이 잦습니다. 쾌락적인 걸 좋아하고 충동적이며 오직 자신만을 최우선으로 생각하기 때문에 타인을 이용하려 하거나 남을 잘 속입니다. 잘못된 인간관계로 쓸데없는 금전적인 손실이나 망신으로 고생을 많이 합니다. 결혼운이 안 좋아 초혼에 실패할 확률이 높습니다. 인간관계가 칼 같아서 한번 마음이 돌아서면 관계 회복이 불가능한 것도 특징입니다.

　이런 외모를 가진 직장 상사는 얄미울 정도로 직장 생활을 잘하지만, 리더의 자질은 부족합니다. 추진력과 책임감이 부족하고 부하 직원을 부려 먹으려는 경향이 있습니다. 자기 잘못을 절대 인정하지 않고, 다른 의견을 받아들이기 어려울 뿐 아니라, 남에게 상처가 될 만한 말을 거리낌 없이 내뱉을 수 있습니다. 만약 함께 일하게 된다면 마음의 준비를 하시는 게 좋겠습니다.

치아 사이 틈이 넓은 관상

　입이 가볍고 수다스럽습니다. 또한, 변덕이 심하고 충동적으로 행동하다 보니 주위 사람들에게 신뢰받지 못할 수 있습니다. 먼 미래보다는 당장 눈앞의 작은 이익에만 집착합니다. 부모와의 관계가 약할 수 있으며 건강운 또한 약해 잔병치레로 고생할 수 있습니다. 말실수로 본인 인생을 꼬이게 할 수 있으니 항상 말조심해야 합니다. 사치가 심하고 재물을 잘 모으지 못해 경제적인 어려움이 항상 따를 수 있습니다.

　이런 외모를 가진 직장 상사는 전체적으로 빈틈이 많은 인간적인 직장 상사입니다. 상당히 게으르고 사고도 잘 치며 짜증도 잘 내는 편이지만, 기분만 잘 맞춰주면 누구보다 유머러스하고 맛있는 것도 잘 사주며 당신을 잘 챙겨줄 것입니다. 변덕스러워 그렇지 악한 사람은 아니니 존중과 배려만 잊지 않으시면 됩니다.

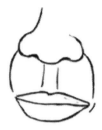

제14장 팔자주름

콧방울 양쪽에서부터 입을 감싸듯 내려오는 대칭 주름을 말합니다. 보통은 20세 이후부터 서서히 형성되며 50대 중후반 시기의 운세를 점칩니다. 팔자주름을 통해서 직업, 인격, 명예, 사업운, 부하복 등의 운세를 점칩니다. 팔자주름에 흉터나 점이 없어야 하며 주름의 길이는 길고 깊어야 권위가 있다 보며, 전체적으로 균형 있고 조화로워야 귀하다 봅니다.

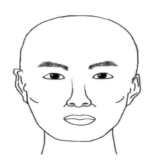

짧은 팔자주름 관상

주도적으로 무언가를 하기보다는 존재감 없이 있는 듯 없는 듯 남들 뒤를 쫓아가는 걸 좋아합니다. 독립심이 부족하고 쉽게 지치는 성격이라서 남에게 의지하려는 성향이 강합니다. 재산을 잘 지키지 못하며 거주지나 직장이 자주 바뀌다 보니 출세하기가 쉽지 않습니다. 남들보다 철이 늦게 들어 늦은 나이에 무언가를 시작하는 경우가 많은데, 성실함만 기른다면 남부럽지 않은 인생도 살아가는 게 가능합니다. 10대 20대가 길고 깊은 팔자주름을 가졌다면 어린 나이부터 무언가를 책임질 일이 생겼다는 뜻으로 해석되기도 합니다. 짧은 팔자주름은 팔자주름이 만들어지는 과정이기 때문에 좀 더 지켜보는 것이 좋습니다.

이런 외모를 가진 직장 상사는 어린이처럼 순진하고 철부지 같은 면이 있어 함께하기 편하고 좋은 사람입니다. 문제는 리더의 자질이 없습니다. 결단력과 포용력이 부족해 남을 잘 챙기지 못합니다. 업무적 도움 같은 것들은 큰 기대를 하지 않는 게 좋습니다.

긴 팔자주름 관상

사업가나 지도자에게서 많이 보이는 팔자주름이기도 합니다. 공부 머리를 타고났으며 판단력이 좋습니다. 완고하며 꼼꼼한 사람들이 많고 남들 앞에 나서는 걸 좋아하며 책임감이 강합니다. 직업운과 사업운이 좋아 잘 풀리면 부와 명예를 모두 가지는 것 또한 가능합니다. 건강운이 좋아 장수합니다. 말년에 고독할 수 있으나 전체적으로 부귀하다고 여겨집니다.

이런 외모를 가진 직장 상사는 포용력도 좋고 책임감이 강해, 리더의 자질이 뛰어나 회사에서 존경받는 인물일 것입니다. 문제는 철저한 원리원칙주의자라서 꽉 막힌 답답한 사람입니다. 성격도 강해서 함께 일하는 부하 직원으로서는 그리 달가운 업무 스타일이 아닙니다. 또한, 남을 부려 먹는 걸 좋아해 얄미워 보일 수도 있겠으나 성과만을 생각하면 믿고 따르시는 게 좋습니다. 능력 하나는 최고입니다.

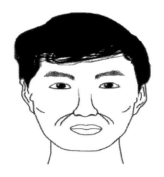

끝이 갈라진 팔자주름 관상

　팔자주름을 감싸듯이 하나 더 있거나 팔자주름 끝이 두 개로 갈라져 있을 수가 있는데 이런 사람들은 개성이 강하고 별난 성격이 많습니다. 의지가 강하고 재주가 뛰어나 한 가지의 직업으로는 만족하지 못해 본업과 부업을 동시에 하는 투잡을 뛰는 사람들에게서 많이 보입니다. 주름이 두 줄인 만큼 숫자 '2'와 관련이 깊습니다. 직업도 두 개 이상, 결혼 또한 두 번 이상 혹은 두 집 살림하게 된다고 합니다. 보통은 40~50세 전후로 직장이나 생활환경에 큰 변화가 생긴다고 봅니다. 애초에 사업이나 공부 같은 예전부터 하고자 하던 일을 새롭게 시작해 잘 풀리게 되는 대운이 들었다. 해석됩니다.

　이런 외모를 가진 직장 상사는 머리도 좋고 재주도 뛰어나 직장에서 평판이 좋을 것입니다. 롤모델로 삼고 업무를 배우시는 게 좋습니다. 문제는 사람 자체가 약간 산만하고 독단적인 구석이 있어 크고 작은 사고를 많이 칠 수 있습니다.

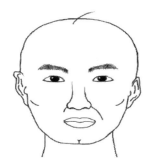

비대칭 팔자주름 관상

　변덕이 심하고 도덕적으로 문제가 있는 이중적인 성격이 많습니다. 예민하고 충동적이라 대인관계가 최악일 확률이 높습니다. 의지력이 약해 무슨 일을 하더라도 끝맺음이 좋지 못하며 건강운도 좋지 않습니다. 부모복도 약해 초년부터 고생할 수 있겠습니다. 어딜 가든 한곳에 오래 버티지 못하고 이직이 잦아 떠돌이와 같습니다. 이 때문에 불안정한 삶을 살아갈 확률이 높습니다.

　이런 외모를 가진 직장 상사는 남의 믿음을 쉽게 져버리기 때문에 신뢰할 만한 인물이 아닙니다. 괴팍하고 정서적으로 불안정해 비위를 맞추기도 어려울 수 있겠고, 가장 큰 문제는 그저 남을 이용할 생각만 하는 편협함입니다. 직장 동료와 잘 어울리지 못하고 다툼이 잦을 수 있으니, 어느 정도 거리를 두는 것을 추천해 드립니다.

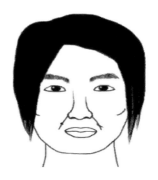

팔자주름에 점이나 흉터가 있는 관상

재물이나 부모복이 매우 안 좋을 수 있습니다. 남자는 오른쪽에 점이나 흉터가 있으면 어머니를 왼쪽에 점이나 흉터가 있으면 아버지를 어린 나이에 잃을 수 있다고 전해집니다. 여성은 왼쪽과 오른쪽 반대입니다. 재산뿐만 아니라 건강운 또한 안 좋을 수 있습니다. 하는 일마다 꼬이며 크고 작은 풍파가 이어집니다. 갑자기 팔자주름에 점이나 흉터 같은 것이 생겼다면 사고나 질병으로 건강에 적신호가 왔다는 의미이며 금전적인 손해나 심하면 법적인 문제로 엮여 법적 다툼까지 생길 수 있음을 암시하는 것이니 항상 조심해야 합니다.

이런 외모를 가진 직장 상사는 안쓰러운 사람이니 역으로 잘 챙겨주시는 게 좋습니다. 결혼운이 좋지 못해 가정 문제로도 힘들고 회사 생활 역시 잘 적응하지 못할 것입니다. 팔자주름에 생긴 점이나 흉터를 보고 법적 다툼 혹은 건강이나 재산을 잃을 수 있다고 경고를 해주는 것도 좋습니다.

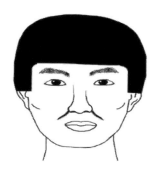

팔자주름이 깊고 진한 관상

  용감하고 자기 소신이 확고해 호불호가 있는 스타일입니다. 자립심이 강하고 무슨 일이든 책임감 있게 적극적으로 임하기 때문에 어딜 가서든 인정받습니다. 사람을 다룰 줄 알고 손익 판단이 빨라서 사업하기에 좋으며, 안정적인 삶을 살아갈 확률이 높습니다. 단점은 이기적이고 융통성이 없는 고지식한 성격 때문에, 인간관계에서 마찰이 잦을 수 있습니다.

  이런 외모를 가진 직장 상사는 상당히 유능한 리더십의 소유자로 업무능력이 정말 뛰어납니다. 그러나 옆 사람을 속 터지게 하는 고집불통이기도 하죠. 권위적이고 가혹할 만큼 냉정한데 다른 사람의 말을 들으려 하지 않아 함께 일하기에는 쉽지 않을 것입니다. 시기와 질투 또한 많아 남이 잘되는 꼴을 못 보니 혼자서 돋보이거나 튀지 않게 항상 겸손함을 유지하는 게 좋습니다.

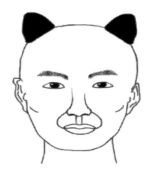

팔자주름 끝이 입으로 들어간 관상

　성격이 소심하며 예민해 짜증이 많습니다. 우울함과 불안감을 가지고 있을 확률이 높으며 과거에는 이런 팔자주름을 가진 사람은 큰 불행이 찾아오거나 굶어 죽는 조짐이라 해석했으나 요즘은 소화기에 큰 문제가 생기거나 먹는 데 장애가 발생할 수 있다고 생각하시면 좋을 거 같습니다. 초년, 중년에 잘 풀려 큰 부를 쌓았다 하더라도 말년에 고독함과 함께 경제적인 어려움마저 따를 수 있습니다.

　이런 외모를 가진 직장 상사는 매사에 부정적이고 신경질적이라 비위를 맞추는 게 쉽지 않을 것입니다. 웬만하면 공적이든 사적이든 엮이지 않는 게 좋습니다. 갑작스레 직장 상사에게 이런 팔자주름이 드리웠다면, 법적 다툼이나 건강에 신경 써야 한다는 조언을 해주는 것도 좋습니다. 혹시나 검사받았다가 병을 발견한다면 당신은 신입 직원에서 생명의 은인으로 신분이 변하게 될 것이니까요.

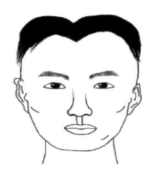

팔자주름이 없는 관상

　35~40살 전으로는 팔자주름이 없을 수 있으나 40살이 넘었는데도 팔자주름이 없다면 관상학에서는 매우 흉하게 해석됩니다. 반항심이 강해 사람이 말을 해도 들으려 하지 않는 부족한 사회성과 생각이 짧고 철이 없으며 사치스럽고 허영심이 많아 금전적인 사고를 잘 칩니다. 끈기가 부족하고 게을러서 직장 생활을 오래 하지 못해 경제적으로 불안정한 삶을 살아갈 확률이 높습니다. 인생에 뚜렷한 목표도 없고 한탕만 쫓는 되는대로 하루하루 살아가는 한량들이 많습니다.

　이런 외모를 가진 직장 상사는 정서적으로 미성숙합니다. 힘들거나 책임질 만한 일은 최대한 피하려는 회피형 인간에 가깝습니다. 부하 직원에게 과하게 업무를 떠맡기는 얌체 같은 직장 생활을 하는 타입으로 예상 밖의 기행을 많이 하므로 난처한 상황을 자주 발생시킬 수 있습니다. 함께 일하기에는 정신적으로나, 육체적으로 피곤할 수 있습니다.

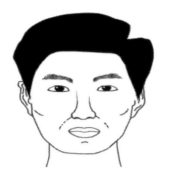

팔자주름이 끊어진 관상

　사람들에게 쉽게 휘둘려 이용당하기 쉽습니다. 끈기가 부족하고 변덕이 심하여 무슨 일이든 진득하게 하지 못합니다. 이 때문에 직장을 자주 옮겨 다녀 직업운이 좋지 않습니다. 부모복도 약해 평생 고독할 수 있으며 하는 일마다 잘 풀리지 않고 철없는 엉뚱한 행동을 잘해 긴 시간 허송세월을 보내 일생이 고달플 수 있습니다.

　이런 외모를 가진 직장 상사는 주도적으로 무언가를 하는 것에 서툴러 함께 업무를 분담하는 것에서부터 문제가 많을 수 있습니다. 업무를 배우는 처지에서는 잘못 걸린 것입니다. 가장 큰 문제는 책임감이 부족합니다. 책임을 안 지려 하거나 우유부단해 업무 과정 중 발생하는 문제들을 모두 부하 직원에게 떠넘기려 할 수 있습니다. 그래도 다행인 것은 부하 직원의 의견에도 귀를 기울이기 때문에 문제가 있다면 강하게 항의하는 것이 좋습니다.

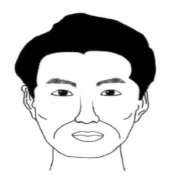

팔자주름 좌우가 넓은 관상

　이런 팔자주름은 귀하다 볼 수 있습니다. 생활력이 강하고 장수한다고 전해지며 자신감이 높고 인내심이 강합니다. 인복 특히 부하복이 좋고 재주가 뛰어나 출세하기 좋습니다. 사람들과의 신뢰가 두터워 살아가며 어떠한 시련이 닥친다 해도 주위의 도움으로 극복하는 경우가 많습니다. 부와 명예를 모두 얻고, 화목한 가정을 만들어 말년까지 좋습니다.

　이런 외모를 가진 직장 상사는 인격적으로 훌륭하며 업무적으로도 매우 뛰어나 회사 내에서 에이스일 확률이 높습니다. 당연하게도 윗사람들의 신뢰가 두터우니 옆에 따라다니기만 해도 득을 볼 것입니다. 리더로서 자질은 뛰어나지만, 자신의 판단을 최우선으로 믿다 보니 타협이 쉽지 않아 독불장군 같은 구석이 있습니다. 고집은 세지만 직장 생활에 잘 적응할 수 있도록 물심양면으로 도와줄 것이니 믿고 따르셔도 좋습니다.

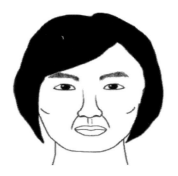

팔자주름 좌우 폭이 좁은 관상

　생각이 짧고 이기적인 성격이 많습니다. 배려심과 포용력 또한 부족한 탓에 사회생활을 하는 데 있어 많은 악영향을 끼치게 되어 평판이 좋지 못한 경우가 많습니다. 오직 자신의 이익만을 생각하고 한 치 앞만 보고 판단하기에 어리석은 행동이 잦을 수 있습니다. 활력이 부족해 어떤 일에도 의욕이 없어 생활력이 약합니다. 성격 문제로 결혼운 또한 좋지 못합니다. 여성이 이런 팔자주름을 가졌다면 현모양처라 해석될 수 있으나, 남자는 매우 흉하게 봅니다.

　이런 외모를 가진 직장 상사는 남에게 엄청나게 인색합니다. 애초에 무언가를 기대하면 안 됩니다. 눈치가 없는 편인데 이기적이고 편협한 사고방식을 가지고 있어 자기의 이익만을 좇아 움직이는 얄미운 사람입니다. 애초에 직장 상사 주변에 사람이 거의 없겠지만 될 수 있으면 거리를 두시는 걸 추천해 드립니다.

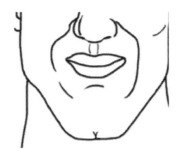

제15장 턱

  턱의 생김새를 통해서 그 사람의 성격, 애정운, 부하복, 재산 등의 운세를 점칠 수 있습니다. 인생에서 가장 중요한 건 역시 말년운이죠. 턱이 말년운과 아주 관련이 깊으니 더욱더 눈여겨보시는 게 좋겠습니다. 턱은 너무 뾰족하거나 뒤로 들어간 것보다는 앞으로 살짝 나온 턱이 좋으며, 널찍하면서 둥글고 살집이 두툼한 전체적으로 균형 있고 조화로운 턱을 귀하게 봅니다.

턱이 긴 관상

　사람이 성실하고 부지런해 열심히 일하지만, 실속 없이 남 좋은 일 하는 경우가 많습니다. 자기주장이 약하고 우유부단합니다. 인내심은 좋으나 감정적이다 보니 분위기나 감정에 쉽게 휩쓸려 변덕을 부리거나 충동적으로 말과 행동을 할 수 있습니다. 성급하게 투자하거나 무리한 사업 운영으로 패가망신하는 경우를 자주 볼 수 있습니다. 사람을 잘 믿어 배신이나 상처받는 경우가 많습니다. 솔직한 사람이기 때문에 감정의 기복이 심해 인간관계에 문제가 있을 수 있어 고독합니다.

　이런 외모를 가진 직장 상사는 강해 보이는 첫인상과 달리 부드러운 사람입니다. 인정도 많고 남을 돕는 걸 좋아해 이상적인 직장 상사에 가깝습니다. 무슨 일이든 공감해주며 헌신적으로 당신을 도와주려 할 것입니다. 무엇보다 가장 큰 장점은 웬만한 실수는 모두 이해해 주는 아량을 지니고 있습니다. 이제 부담 없이 업무를 배우시면 됩니다. 그렇다고 만만하게 보고 무시했다가는 돌변할 수 있으니, 존중과 배려를 잊어서는 안 됩니다.

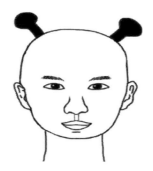

턱이 짧은 관상

예리한 구석이 있는 이성적 사람이지만, 지나치게 예민하고 변덕이 심해 남을 험담하는 것은 즐기면서 자기 성찰은 하지 않습니다. 감정의 기복이 심하고 끈기와 실행력이 부족합니다. 고집불통에 이기적이라 인간관계에서 마찰이 잦은 편입니다. 조심성이 많고 의심 또한 많아 주위에 사람이 많지 않습니다. 인내심이 부족해 깊이 생각하지 않고 저지르고 보는 타입으로 싫증도 잘 냅니다. 무슨 일이든 일만 크게 벌여놓고 오래 하지 못합니다. 하는 일마다 잘 풀리지 않아 재물복이 약하며 배우자, 자식복까지 약해 고독할 수 있습니다.

이런 외모를 가진 직장 상사는 경계심이 강해 처음에는 당신을 탐탁지 않아 하는 티를 낼 수 있습니다. 생각이 깊지 못해 감정을 숨기지 못하다 보니 쉽게 화를 내거나 잘 삐칩니다. 약점이나 흠이 잡히지 않게 최대한 조심하는 것이 좋습니다. 입이 가벼워 잘못이나 실수를 이야깃거리로 소문내는 경우가 있으니 입사 후 자리가 잡히기 전에 안 좋은 소문으로 고생할 수 있습니다. 고달프더라도 당분간은 최대한 납작 엎드려 비위를 맞춰주는 게 좋습니다.

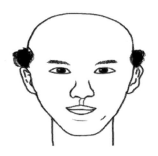

주걱턱 관상

매사에 의욕적이며 강한 정신과 실천력을 가지고 있습니다. 독립적이고 자기 소신이 강해 외부의 간섭이나 유혹에 영향을 받지 않습니다. 무슨 일이든 최선을 다하는 특징 때문에 자수성가하는 사람들이 많습니다. 센스가 좋고 돈을 버는 법과 번 돈을 굴리는 방법을 아주 잘 알고 있어 재물도 잘 벌고 잘 모읍니다. 단점으로는 욕심이 많고 성공에 대한 열망이 너무 강하여 이기적이고 거친 성격이 많다는 것입니다. 부부운이 좋지 않지만, 말년운과 재물복이 좋은 턱입니다. 너무 앞으로 돌출된 주걱턱이거나 살이 없어 날카롭다면 매우 흉하다 해석하기도 합니다.

이런 외모를 가진 직장 상사는 센스 있게 일 잘하는 직장 상사이지만 승부욕과 지배욕이 강해 주위 사람들을 힘들게 합니다. 성과를 위해 부하 직원을 쥐 잡듯이 잡는 모습을 자주 보여줄 것입니다. 상처가 될 만한 거친 말도 여과 없이 많이 뱉을 수 있으니, 마음의 준비를 하는 것이 좋습니다. 믿음직한 직장 상사지만 함께 일하기에 상당히 난이도가 있고 피곤한 타입입니다.

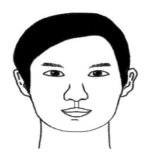

둥근 턱 관상

　강한 사회적 능력을 갖추고 있어 주위 사람들의 신망이 두텁습니다. 사람은 좋은데 귀가 얇고 어려움에 처한 사람을 쉽게 지나치지 못하여 보증이나 사기로 곤욕을 치르는 경우가 많습니다. 도전을 두려워하지 않으며 실용적인 것을 좋아합니다. 자신감 있는 사람이지만 그 자신감에 일을 그르쳐 손해를 보는 경우가 많습니다. 초년, 중년에 잘 풀리지 않더라도 타고나길 끈기와 성실함을 가지고 있어 늦은 나이에라도 반드시 성공하는 경우가 많습니다.

　이런 외모를 가진 직장 상사는 부드러운 카리스마의 소유자입니다. 부하 직원이 잘 적응할 수 있도록 배려하며 도울 것입니다. 책임감이 강해 자신의 노하우와 경험도 아낌없이 알려주며 업무를 빠르게 숙지할 수 있도록 도울 것입니다. 정이 많아 자기 사람은 끔찍하게 챙깁니다. 둥근 턱이 부하복이 좋다고 하는데 다 이유가 있는 듯합니다.

뾰족한 턱 관상

　영리하고 재능을 타고난 사람이 많습니다. 독선적이고 예민한 성격이 많고 순발력과 창의력이 좋으나 성실함이 부족한 것이 흠입니다. 사람을 만나는 것에 소극적이고 사람을 가려서 사귀기 때문에 사람들과 잘 어울리지 못합니다. 사치와 허영심이 강하며 출세에 강한 집착을 보여줄 수 있습니다. 결혼운과 자식복이 좋지 않으며 비교적 젊은 나이에 출세해 승승장구하더라도 말년부터 운이 하락해 외롭고 궁핍한 생활을 하게 될 확률이 높습니다.

　이런 외모를 가진 직장 상사는 부하운이 좋지 않습니다. 극도로 예민해 짜증이나 거친 언행을 남발해 옆에 있는 것만으로 사람을 지치게 하는 사람입니다. 팀으로 동료들과 부대끼는 것보다는 혼자서 일할 때 능력을 확실히 보여줄 수 있어 단독으로 일하는 걸 선호합니다. 어쩔 수 없는 한 팀이 아니라면 신입 직원이라 해도 무관심과 더불어 귀찮아할 것입니다.

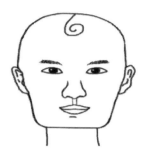

사각턱 관상

　무뚝뚝하고 자기 소신이 강해 간섭이나 명령받는 걸 극도로 싫어합니다. 인내심이 강하고 단순합니다. 한번 마음먹은 일은 무슨 일이 있어도 밀어붙이는 불도저 같은 스타일이며 사람들과의 마찰이 잦습니다. 잔머리나 요령을 피우지 않고 열정과 끈기로 모든 일을 해냅니다. 이 때문에 성공한 유명인 혹은 자수성가하는 사업가들에게서 두드러지게 보이는 턱이기도 합니다. 건강을 타고나 운동 같은 육체를 쓰는 일에 탁월합니다. 문제는 일 중독이라고 할 만큼 성공에 대한 욕망이 강해 오직 자신의 출세만을 위해 앞만 보고 달려갑니다. 출세에 밀린 가족이나 가까운 주변인들을 등한시하게 되어 고독할 수 있겠습니다. 뒤에서 봤을 때도 사각턱이 두드러지게 보인다면 매우 흉하게 봅니다. 자신의 고집에 자신이 잡아먹히는 어리석은 사람과 같다고 봅니다.

　이런 외모를 가진 직장 상사는 일을 위해 태어난 사람과 같습니다. 강한 체력과 업무에 대한 열정까지 문제는 쓸데없이 강한 자기 주장과 승부욕에 옆 사람까지 피곤하게 할 수 있습니다. 고집불통에 말수도 없는 무뚝뚝한 성격이라 무섭고 무례해 보여 다가가기 쉽지 않을 수 있으나 겪어보면 생각보다 사람이 단순해 함께 일하기에 나쁘지 않습니다. 일할 때 가끔 돌변해서 그렇지, 리더십도 있고 사람은 괜찮습니다.

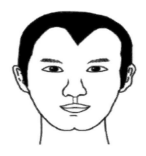

갈라진 턱 관상

  턱 가운데 세로 주름이 선명하거나 움푹 들어간 것처럼 보이는 이런 턱의 모습을 엉덩이 같다고 하여 일명 엉덩이 턱이라고도 불립니다. 이런 턱을 가진 사람들은 조용하고 감성적인 성격이 많으며 감정 기복이 꽤 있는 편입니다. 턱의 생김새가 이성에게 매력적으로 다가오는 것인지 이성에게 인기가 많습니다. 특이하게 외골수가 많은데 정직하고 올곧으며 숨기는 게 없는 솔직한 사람입니다. 융통성이 없어 보일 만큼 고집이 세며 간섭을 극도로 싫어합니다. 끈기 있게 한 우물만 파는 스타일이다 보니 노력 끝에 성공을 이루어 내는 자수성가한 사람이 많습니다.

  이런 외모를 가진 직장 상사는 일에 대한 열정과 끈기가 대단하며 무엇보다 가장 큰 장점은 창의력이 뛰어나 예상 밖의 아이디어로 주위 사람들을 놀라게 한다는 것입니다. 정말 창조적인 분야에서 특출나게 두각을 드러내는 인재입니다. 순수한 아이 같은 구석이 있어 잘 삐치고 돌발적인 폭탄선언이나 기행을 보여줘, 옆 사람까지 곤욕스럽게 할 수 있으니 적당히 안전거리를 두는 것이 좋습니다.

이중턱 관상

　현대에는 미적으로 아름답지 않아 선호하는 턱은 아니지만, 과거에 이중 턱은 고귀하다 할 만큼 귀하게 여겨졌습니다. 이런 턱을 가진 사람은 낙천적이고 온화한 성격으로 사람을 대할 줄 알기 때문에 사람들에게 인기가 많습니다. 자기 주관이 뚜렷하며 끈기와 고집이 보통이 아닙니다. 한번 마음먹으면 무슨 일이 있더라도 포기하지 않습니다. 이 때문에 성공한 사람들에게서 많이 보이는 턱이기도 합니다. 문제는 고집이 너무 강해 다른 사람의 말을 들으려 하지 않아 답답함을 자아냅니다. 약간 둔감하고 강한 고집 탓에 사람을 잘 믿어 사기나 보증을 들었다 고생할 수 있습니다. 재물복과 애정운이 좋아 화목한 가정을 꾸리고 유복하게 말년을 보내게 될 것입니다.

　이런 외모를 가진 직장 상사는 직장 내에서 평판이 아주 좋은 사람일 확률이 높습니다. 성격 자체가 다정하고 온순해 친화력이 좋으며 포용력과 리더십까지 겸비해 함께 일하기 좋은 사람입니다. 사람 자체가 베풀고 돕는 걸 좋아해 부하 직원 입장으로서는 천사와 다름없습니다.

비대칭 턱 관상

관상에서는 비대칭은 대부분 부정적으로 해석하는데 턱 역시 마찬가지라 볼 수 있습니다. 권위적이고 짓궂은 성격이 많습니다. 의리나 협동심이 부족하며, 사람의 믿음을 져버리는 행동을 서슴없이 하는 인격적으로 바른 사람이 아닐 수 있습니다. 뿌린 대로 거둔다는 말처럼 본인 역시 사기나 배신을 잘 당합니다. 인복이 부족해 부모나 배우자 복이 약합니다. 하는 일마다 잘 풀리지 않고 그 불행은 말년에 정점을 찍게 됩니다. 고독하고 경제적인 어려움으로 불안정한 말년을 보낼 확률이 높습니다.

이런 외모를 가진 직장 상사는 자기 생각이 세상의 진리라 생각하는 사람입니다. 어리석은 생각과 고집 때문에 회사 내에서 외로운 사람일 확률이 높습니다. 기본적으로 신뢰하기 힘든 사람입니다. 부하 직원을 도구 정도로 생각해 업무를 떠넘기거나 이용하려 하니 각오를 해두는 게 좋겠습니다. 하는 일마다 잘 풀리지 않는 마이너스의 손이기 때문에 팀으로 함께 한다면 큰 성과를 기대하지 않는 게 정신건강에 좋습니다.

제16장 목

  목은 머리와 몸을 잇는 통로이자 머리를 받치고 있는 기둥과 같습니다. 여성은 살짝 긴 목이 좋고 남성은 살짝 짧은 목이 좋습니다. 마른 체형은 긴 목이, 살찐 체형은 짧은 목이 좋습니다. 목은 기본적으로 목덜미가 두툼해야 합니다. 또한, 곧고 머리와 조화로워야 합니다. 목에 살집이 있고 둥글어 보여야 귀합니다. 목을 통해서 그 사람의 성격, 재물복, 수명, 건강, 애정운 등을 점칠 수 있습니다.

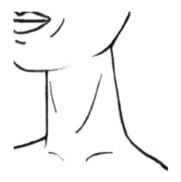

가늘고 긴 목 관상

체력과 정신력이 약해 건강이 좋지 못한 경우가 많습니다. 자신보다 타인을 먼저 생각하는 따뜻한 마음을 가지고 있습니다. 품위가 느껴질 만큼 고상한 성격이며 사람과의 문제를 만드는 걸 싫어합니다. 야망이 강하지만 현실 파악이 빨라 큰 욕심도 경쟁도 원치 않는 것처럼 보입니다. 사람을 쉽게 믿는 단점이 있지만, 대인관계가 매우 좋습니다. 부정적인 면으로는 허영과 사치가 심하고 독립성이 부족해 다른 사람에게 의지하려는 성향이 강합니다. 정신적으로 유약해 작은 것에도 쉽게 좌절합니다. 경제적 어려움 혹은 일생이 고독할 수 있습니다.

이런 외모를 가진 직장 상사는 부하 직원 측면에서 봤을 때 고마운 존재일 것입니다. 상급자라고 해서 텃새나 갑질 따위는 하지 않고 개인보다는 우리가 우선이라 생각해 경쟁보다는 상생을 택하는 타입입니다. 당연하겠지만 따뜻하게 잘 챙겨줄 것입니다. 아쉬운 점이라면 배려가 지나쳐 자기주장이 부족해 쉽게 끌려다니고 결단력의 결여로 리더의 자질이 부족한 편입니다.

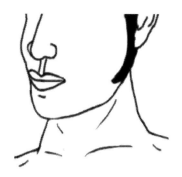

짧고 두꺼운 목 관상

외모와는 다르게 조용하고 소심한 성격이 많습니다. 타고나길 건강하고 힘이 좋은 사람들이 많습니다. 성취욕이 강하고 호전적인데 실행력까지 좋아 마음먹은 일은 물불을 가리지 않고 부딪치고 보는 단순한 타입입니다. 이런 관상을 가진 이들의 인생을 크게 좌우하는 것은 앞날을 내다보는 지혜가 있느냐 없느냐로 크게 갈립니다. 당장 앞날만 보기보단 먼 미래까지 보는 것이 중요합니다. 자존심과 고집이 세며 남다른 승부욕을 가지고 있는 특징 때문에 크고 작은 사고를 잘 칩니다. 사람과의 마찰이 잦아 인간관계뿐만 아니라 결혼운도 약해 고독합니다.

이런 외모를 가진 직장 상사는 외모만 보더라도 강해 보이는데 실제 말과 행동까지 거친 경우가 많습니다. 체력이 좋아 몸을 쓰는 일에 탁월합니다. 생각하는 걸 좋아하지 않고 단순해 꽤 쿨하지만, 생각이 짧고 이기적인 구석이 있습니다. 다혈질 기질 또한 가지고 있어 욱하며 갑자기 화를 낼 수 있으니 각오하시는 게 좋습니다. 어느 정도 친분이 쌓이면 호탕하고 유머 감각도 있어 그리 나쁘지 않습니다.

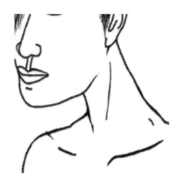

굽은 목 관상

선천적으로 목이 굽어서 거북목이 있는 사람들이 있습니다. 이런 사람들은 건강운이 좋지 못해 잔병치레가 많습니다. 성질은 온순하지만, 이기적이고 불평불만을 입에 달고 살아갑니다. 고집이 세고 눈치가 없어 인간관계가 부정적입니다. 말실수로 겪지 않아도 될 곤욕을 치르는 경우가 많으니, 말조심해야 합니다. 책임감이 부족하고 의지가 약해 무슨 일이든 순조롭게 풀리는 경우가 없고 운의 기복이 심해 살아가며 많은 시련이 찾아와 고통스러울 수 있습니다.

이런 외모를 가진 직장 상사는 믿을만한 좋은 업무적인 파트너가 아닙니다. 상황 대처 능력이 부족하고 이기적인 데다가 실수가 잦습니다. 리더십이 특히 아쉬운데 책임감이 부족해 막중한 임무를 수행하는 데는 무리가 있습니다. 성과가 늘 아쉬워 회사 내에서 평판이 좋지 않을 수 있습니다. 신입 시절 최대한 빠르게 업무를 배우고 엮이지 않는 게 좋습니다.

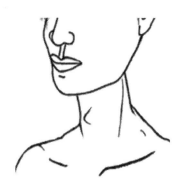

목젖이 심하게 튀어나온 관상

머리가 좋고 활력이 넘쳐 모험과 도전하는 걸 좋아합니다. 외향적이고 사교활동을 좋아합니다. 문제는 강한 성격과 감정의 기복이 심해 몹시 충동적입니다. 사고수가 있고, 생각 없는 말이나 행동을 했다가 명을 재촉하는 경우가 종종 있습니다. 폭언에 심하면 폭력적인 면까지 보이기 때문에 주위 사람들을 힘들게 할 수 있습니다. 무슨 일이든지 앞만 보고 달리는 타입에 가까워 성공도 실패도 분명하게 갈리는 편입니다. 잘 풀리지 않는다면, 결과는 항상 실망스럽습니다. 누구보다 열심히 온갖 노력을 해 살아도 실속이 없는 경우가 많아 경제적인 어려움을 겪으며 고독합니다. 목젖이 나온 여자 역시 부정적으로 해석됩니다. 거친 남성적인 성격이 많고 쾌락적인 걸 즐기며 모든 일의 결과가 빈약해 삶에서의 발전이 더딥니다.

이런 외모를 가진 직장 상사는 상당히 남성적인 성격이 많습니다. 작은 것에 신경 쓰지 않는 쿨함을 가졌지만, 한번 수틀리면 온갖 비난을 필터 없이 쏟아 내며 부하 직원을 쥐 잡듯이 잡습니다. 회사 내에 미친개나 사이코라는 별명을 가지고 있을 확률이 높습니다. 주위 사람들은 못살게 구는 경우가 많으니 쇠내한 몸을 사리며 피하는 게 좋습니다.

제17장 귀

귀를 통해서 지성, 건강, 금전운, 부모운, 초년운 등의 운세를 점치는 중요한 곳이라 할 수 있습니다. 귀한 귀의 형태로는 정면에서 귀가 잘 보이지 않고 눈보다는 높이 올라가 있어야 귀하다 봅니다. 혈색이 좋고 살이 두툼하며 보기에 거슬리지 않는 조화로운 크기의 귀가 좋습니다. 귓불은 붙어서 없는 것보단 귓불이 살짝 쳐진 것이 좋고 귓불 끝이 입 쪽을 향하고 있다면 더욱 좋습니다. 전체적인 윤곽이 뚜렷하게 모나지 않은 형태가 좋습니다.

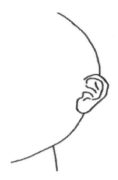

작은 귀 관상

작은 귀는 관상학에서 그리 귀하게 보지 않습니다. 심지어 두께까지 얇다면 더욱 흉하게 봅니다. 이런 귀를 가진 사람들은 솔직하고 감수성이 풍부해 마음이 여린 사람이 많습니다. 겁이 많고 예민하지만, 사회생활은 잘하는 편인데. 조심성이 많고 선을 지킬 줄 알기 때문입니다. 집 안팎의 모습이 전혀 다른 특징이 있습니다. 얌전하고 차분한 밖에서와는 다르게 집에서는 세상 무서울 게 없는 방구석 여포일 확률이 높습니다. 감정적이고 충동적이지만 섬세한 면이 있어 절제할 줄 아는 사람입니다. 소심한 구석이 있어 근심 걱정이 많아 끙끙 앓다가 자신의 건강까지 해치기도 합니다. 부족한 판단력과 무계획성을 지니고 있어 사업은 절대 금물이며 적극성이 부족해 좋은 기회가 온다 해도 잘 잡지 못합니다.

이런 외모를 가진 직장 상사는 얌전해 보이지만 감정적이고 충동성이 내면 깊숙한 곳에 잠들어 있습니다. 언제 갑자기 돌변할지 모릅니다. 무언가를 하겠다는 의지도 없을뿐더러 주위 사람들의 말에 쉽게 동요되어 팀을 혼란에 빠뜨리기도 합니다. 티를 내지 않을 뿐 잘 삐치기 때문에 항상 조심하고 신경을 많이 써야 하는 타입입니다. 뒤끝도 있으니 심기를 건드렸다가는 하루가 아주 길어질 수 있습니다.

큰 귀 관상

건강을 타고났으며 활력이 넘치는 활동적인 사람이 많습니다. 이해심이 많고 신중하며 지혜로운 편입니다. 좋은 머리와 끈기로 한 번 마음먹은 일은 반드시 성공하게 하는 힘이 있으며 비교적 어린 나이에 큰 어려움 없이 잘 풀려 성공하다 보니 오만해지고 배포만 커져 무리한 투자나 사업 확장으로 패가망신하는 때도 종종 있습니다. 인복과 재복이 좋아 말년까지 다복한 가정을 꾸리고 안정적인 삶을 살아갈 확률이 높습니다.

이런 외모를 가진 직장 상사는 이성적이고 현명한 리더십의 소유자입니다. 무슨 일이든 최선을 다하고 불평하지 않는 진국 같은 사람입니다. 이 때문에 업무뿐만 아니라 인간관계까지 좋아 회사 내에서 평판이 아주 좋을 것입니다. 바다와 같은 넓은 이해심으로 부하 직원이 어떠한 실수를 하더라도 용서해 주며 감싸줄 것입니다. 비현실적일 만큼 완벽에 가까운 직장 상사이니 믿고 따르셔도 좋습니다.

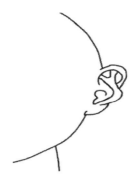

뒤집힌 귀 관상(까진 귀)

　과거에는 이런 귀를 매우 흉하게 보았습니다. 술과 웃음을 파는 기생들의 귀라 하며 매우 부정적으로 보았지만, 현대적인 해석으로는 그리 나쁘지 않다고 생각합니다. 진취적이라 도전을 두려워하지 않는 추진력을 가지고 있어 반드시 무언가 이루어 냅니다. 욕심이 많고 부지런하게 일하는 타입이라 어린 나이에 남부럽지 않게 성공하는 사람이 많습니다. 주목받는 걸 좋아해 남들 앞에 나서는 것에 거리낌이 없고 끼와 재능도 많아, 인기를 얻어야 하는 직업에 적합하여 연예인들에게서 두드러지게 보이는 귀라 할 수 있겠습니다. 문제는 남들 눈을 과하게 의식하는 특징이 있어 품위 유지를 위해서인지 사치가 매우 심할 수 있습니다. 한창 잘 나갈 때의 돈 씀씀이를 줄이지 않고 이어가다가 말년에 경제적인 어려움과 더불어 고독할 수 있습니다.

　이런 외모를 가진 직장 상사는 사회생활에 특화된 사람에 가깝습니다. 업무 효율을 중요시하는 타입으로 재치까지 겸비해 일을 열심히 하기보다는 잘하는 사람입니다. 다 좋으나 성격이 마이너스 요소인데 반항적이고 자기주장이 강하며 나서는 걸 좋아하다 보니 구설이나 망신을 당하기도 하지만, 업무능력 히나만큼은 뜩소리 닙니나. 회사 내에서 가깝게 지내면 많은 것들을 보고 배울 수 있을 것입니다.

네모난 귀 관상

　독특한 개성의 소유자가 많습니다. 의지력과 실행력이 좋습니다. 보수적이고 자기 주관이 확실해 사람을 심하게 가려 만납니다. 본인뿐만 아니라 타인에게까지 매우 엄격하게 대하다 보니 대인관계가 좋지 못하고 다툼이나 미움을 받는 경우가 많습니다. 옆에서 보고 있으면 답답함을 자아내기는 하지만 끈기가 있고 성실하여 자수성가형이 많으며 재물복도 좋습니다.

　이런 외모를 가진 직장 상사는 직업의식이 강해 일은 잘하지만, 고집이 일반적이지 않습니다. 협동이나 타협을 싫어하며, 일방적으로 자신의 결정을 타인에게 강요하는 타입이라 그 누구와 함께 일하더라도 마찰을 피할 수 없을 것입니다. 신입일 때는 최대한 자신의 의견은 접어두고 직장 상사의 말에 따르는 것이 슬기로운 회사 생활을 위해 좋겠습니다.

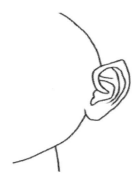

뾰족한 귀 관상

성질이 급하고 신경질적인 극단적인 성격 때문인지 건강운이 좋지 않습니다. 이성적이고 계산적이라 자신에게 득이 될 만한 일이 아니라면 시큰둥한 편이며, 관찰력이 좋아 인간관계 역시 그 사람을 쭉 지켜보다가 친분을 쌓습니다. 돈과 성공에 대한 열망에 비해 그 결과는 영 좋지 못해 경제적인 어려움이 늘 따라다닐 수 있습니다. 또한, 다가가기 힘든 까다로운 성격 때문인지 고독하게 살아갈 수 있습니다.

이런 외모를 가진 직장 상사는 요정같이 매력적인 귀를 가졌지만, 인격적으로는 요정과는 거리가 멉니다. 일은 정말 잘하는데 성격이 교활하고 인정이 없어 회사 내에서 껄끄럽고 불편한 존재가 될 확률이 높습니다. 사람을 쉽게 배신하고 이용하려 하며 부하 직원을 종처럼 부려 먹고 미안함이나 고마움을 느끼기보다는 당연하다 생각하는 사탄도 울고 갈 사악함을 보여줍니다.

원숭이처럼 돌출된 귀 관상

　정면에서 봤을 때 귀가 훤히 보이는 귀를 원숭이 귀라 부릅니다. 이런 귀는 상상력이 풍부하고 호기심이 많아 예체능 계열이나 창의력을 요구하는 일에서 두각을 드러내는 경우가 많습니다. 성격은 소심하지만, 계산적이고 교활해 속내를 잘 드러내지 않습니다. 적응력이 뛰어나 사람들 사이에 잘 스며들며 인기도 많습니다. 이성에게 인기가 많아 이성 상대는 끊이지 않지만, 일생이 외롭습니다. 사람들에게 인색하고 과한 솔직함 때문에 구설수나 미움을 받는 경우가 있습니다. 귀에 살이 없다면 실속이 없는 복 없는 귀라 평가하며, 귀와 귓불에 살이 두툼하면 그나마 재물복이 있다고 해석합니다.

　이런 외모를 가진 직장 상사는 유머러스하고 업무적 센스가 뛰어나 어린 나이부터 직장 내에서 능력자로 인정받고 있을 **확률이** 높습니다. 높은 이해력과 성숙함까지 겸비한 뛰어난 리더이지만, 예민하고 괴짜 같은 구석이 있어 상대를 난처하게 하는 상황이 자주 벌어질 수 있으며 짠돌이, 짠순이 기질이 있어 염치없는 모습을 보일 때가 종종 있을 것입니다.

정면에서 안 보이는 귀

귀가 납작해 정면에서 잘 보이지 않는다면 귀하다 봅니다. 재물운과 건강운이 좋다고 하며 이성적이고 결단력이 좋습니다. 남들에게 친절하고 관대하지만, 친분이 쌓여도 속내를 잘 드러내지 않습니다. 현실적이고 성실하며 독립적인 인생을 살아가다 보니 자신의 재능을 활용해 성공하는 경우가 많습니다. 또한, 자신에게 온 기회를 놓치지 않아 뜻밖에 횡재하기도 합니다. 인내력과 집념이 강해 한번 마음먹은 일은 반드시 이루어 냅니다. 가족애가 남달라 자녀운이 좋고 화목한 가정을 꾸리기 때문에 1등 신랑, 신붓감과 같습니다.

이런 외모를 가진 직장 상사는 활력이 넘치고 지혜롭습니다. 부하 직원을 존중해 주며 사소한 의견이라도 그냥 지나치는 법이 없습니다. 다재다능하며 실패를 두려워하지 않는 용기를 가지고 있습니다. 현명하고 책임감이 강해 리더로서 자질 역시 충분합니다.

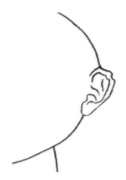

찌그러진 귀 관상

머리는 좋지만, 감정 표현에 서툴고 강한 반항심을 가지고 있어 인간관계가 좋지 못합니다. 건강운이 좋지 못하고 부모복이 약해 불우한 어린 시절을 보낼 확률이 높습니다. 운의 기복이 심해 살아가며 크고 작은 시련이 많이 찾아오게 되어 평생이 고단하지만, 수많은 시련 속에서 자신을 한 단계씩 발전시켜 나갑니다. 타고난 끈기로 노력해 결국은 남부럽지 않은 삶을 살아가게 됩니다.

이런 외모를 가진 직장 상사는 쓰러지더라도 몇 번이고 다시 일어나는 오뚝이 같은 강철 멘탈을 가지고 있지만, 약간 편향적인 생각을 하고 있으며, 다른 사람들의 조언을 듣지 않습니다. 감정의 기복 또한 심해 충동적이고 엉뚱한 짓이나 무책임한 행동을 할 수 있습니다. 직장 상사가 심기가 불편해 보이거나 화가 났을 때는 잠시 피해 있는 것이 모두를 위해서 좋습니다.

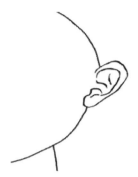

위쪽 귀가 큰 관상

　전체적으로 귀가 얇으며 위쪽은 크고 아래로 갈수록 좁은 귀를 말합니다. 이런 귀는 건강운이 나빠 잔병치레가 많을 수 있습니다. 신중하고 내성적인 성격이 많으며, 생각이 많아 계획은 잘 세우지만, 행동력이 부족해 누군가 이끌어주지 않으면 움직이지 않는 수동적인 모습을 보여줍니다. 사람들과의 마찰을 극도로 싫어해 자기주장보다는 남들의 의견을 따르는 쪽을 선택하며 초년에 잘 풀린다 해도 나이를 먹을수록 운이 하락해 말년에 힘들 수 있습니다.

　이런 외모를 가진 직장 상사는 우유부단하고 예민해 리더의 자질이 부족합니다. 스트레스받는 걸 극도로 꺼려 성공에 대한 열망이나 물질적인 풍요보다는 정서적인 안정을 추구하는 회피형 인간에 가깝습니다. 중요하지 않은 것은 뭐든지 적당히 설렁설렁합니다. 힘들고 어려운 건 피하며 유유자적 회사 생활을 하다 보니 함께 일하기는 부하 직원은 나름대로 편하고 좋습니다.

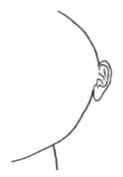

폭이 좁은 귀 관상

세상을 보는 시야가 좁고 단순합니다. 어떤 것에 꽂히면 무서울 정도로 그것에 집착하는 모습을 보여주는데 이 독특한 성향 덕분에 모 아니면 도 같은 인생을 살아가는 사람이 많습니다. 잘 풀리면 특정 분야에서 최고가 되어 부와 명예를 얻겠지만, 인생이 이상하게 꼬이면 방구석 덕질이나 스토킹 범죄자로 전락하게 되는 경우가 있습니다. 경계심이 많고 신중해 속내를 알아차리기 어려우며 고집이 세서 누구의 말도 들으려 하지 않고 주위 사람들과의 마찰이 잦아 고독합니다.

이런 외모를 가진 직장 상사는 자신감이 없어 보일 만큼 신중합니다. 냉철하고 이성적이라 손해 보는 걸 극도로 싫어하며, 직장 생활을 얌체처럼 잘하는 편입니다. 양보나 배려 따윈 없으며 속이 그리 넓은 편이 아녀서 한번 미운털이 박히면 오래갑니다. 직장 생활을 함께하기에는 까다로운 직장 상사이며 직장 내에서 역시 인기가 없을 확률이 높습니다.

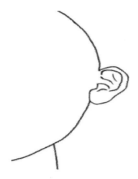

폭이 넓은 귀 관상

성격이 온순하고 포용력이 좋아 어딜 가서든 환영받고 예쁨을 받는 인기인이 많습니다. 자신의 고집보다는 남들의 의견부터 듣는 배려심이 기본적으로 깔려 있습니다. 불평을 잘하지 않으며 부지런하고 성실합니다. 총명하고 행동력이 좋아 큰일을 해내는 사람이 많습니다. 다만 너무 남들을 신경 쓰다 보니 근심 걱정이 많을 수 있습니다.

이런 외모를 가진 직장 상사는 부하 직원을 잘 챙겨주고 존중해 주는 사려 깊은 모습을 보여줍니다. 부하 직원을 늘 세심하게 들여다봐 주고 별것 아닌 의견이라 하더라도 귀를 기울여 주며, 문제를 함께 고민해 주는 인자하고 좋은 스승과 같은 직장 상사입니다.

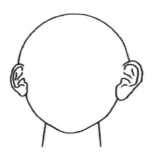

비대칭인 짝귀 관상

눈에 띄게 귀 양쪽이 비대칭인 사람들이 있습니다. 이런 귀는 부모복과 인복이 좋지 않아 어릴 때부터 고생할 수 있습니다. 험난한 삶을 살아왔기 때문인지 경계심이 강하고 이기적입니다. 판단력이 빠르고 행동력이 좋아 어딜 가서든 능력을 인정받습니다. 운의 기복이 심해 잘 풀릴 때는 막힘없이 승승장구하지만 한번 꼬이기 시작하면 무너질 돌탑을 쌓는 것처럼 실속이 없고 고단한 인생을 살아가게 됩니다.

이런 외모를 가진 직장 상사는 리더십 있고 업무능력도 뛰어나지만, 낯을 많이 가리는 타입입니다. 무뚝뚝하고 타인에게 관심이 없어 보이는 소위 철벽을 치는 사람이 많습니다. 냉혈한이 아닌 그저 낯선 사람에 대한 경계심이 강해서 그런 것이니 천천히 친분을 쌓으며 유대감을 형성한다면 상당히 괜찮은 직장 상사입니다. 내 사람이라 생각하면 잘해 주는 타입입니다.

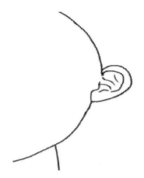

둥근 귀 관상

　자신감이 강하고 책임감 있는 조용한 성격이 많습니다. 기본적으로 인복이 좋으며 친절하고 상냥해 주위에 사람들이 늘 따릅니다. 인생에서 성공만큼이나 인간관계를 중요시합니다. 개방적이고 호기심이 많아서 새로운 경험을 즐기며 다양한 분야에 관심이 있습니다. 남들에게 뒤처지는 걸 싫어해 부단한 노력으로 어딜 가든 자기 능력을 인정받지만, 주위 사람들을 과하게 배려하며 눈치를 보다 보니 우유부단해 보일 수 있다는 단점이 있습니다. 심적으로 여리고 감성적인 면이 있어 쉽게 상처받습니다.

　이런 외모를 가진 직장 상사는 회사 안팎이 전혀 달라 보일 만큼 자기 일에 진심인 사람입니다. 배려심도 있고 책임감도 강해 부하 직원으로서는 믿음직한 버팀목 같은 존재입니다. 옆에 있으면 득이 되는 사람이니 옆에 바짝 붙어서 업무를 배우며 즐거운 회사 생활에 잘 적응하시면 됩니다.

얇은 귀 관상

건강운이 약하여 사고를 조심하고 건강을 늘 챙겨야 합니다. 성격이 우유부단하고 필터 없이 말을 뱉거나 경솔한 행동으로 곤욕을 치르는 경우가 많습니다. 배경이 좋지 못해 오직 자신의 노력으로 자수성가하는 사람들이 많으며 사람 자체가 부지런합니다. 외로움을 잘 타고 순진한 구석이 있어 사람을 쉽게 믿어버리는 탓에 사기나 이용당하여 피해를 보는 경우가 종종 있습니다. 자기 재산을 잘 지키지 못해 재물복이 약합니다.

이런 외모를 가진 직장 상사는 부지런하고 착실해 직장 내에서 평판이 꽤 좋을 것입니다. 문제는 자기 주관이 없어 항상 사람들에게 끌려다녀 답답해 보일 수 있습니다. 이런 관상은 사기꾼의 먹잇감 혹은 사내 정치의 희생양이 되는 경우가 많으니, 웬만하면 무언가를 함께 하는 것은 피하시는 걸 추천해 드립니다. 약간 별난 구석은 있지만, 성격이 쿨해서 함께 일하기는 나쁘지 않습니다.

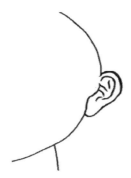

두툼한 귀 관상

　귀의 형태를 떠나 귀가 두툼하면 장수하고 부귀하다 해석합니다. 진중하고 독립적인 성향이 강하고 합리적인 걸 좋아합니다. 남에게 잘 베풀고 이해심이 좋아 대인관계가 좋은 편입니다. 인복이 좋아 도움을 통해 어려움을 극복하는 경우가 많고 문제 해결 능력이 탁월합니다. 안목이 있고 현명해 사업에 특출난 재주가 있어 사업으로 성공하는 사람들에게서 많이 보이는 귀라고 볼 수도 있습니다. 건강과 재물운이 모두 좋아 말년까지 좋습니다. 귀가 너무 두꺼우면 이기적이고 욕심이 많다 해석되기도 합니다.

　이런 외모를 가진 직장 상사는 사람 자체가 따뜻하고 공감 능력이 뛰어나 누구든지 잘 맞춰주기 때문에 금방 친해질 수 있습니다. 회사 생활에 적응을 잘하지 못한다면 다가와 챙겨줄 것입니다. 사람이 좋아서 평소에 나사가 빠진 것처럼 보일 수도 있으나 업무적으로는 말이 필요가 없는 에이스입니다. 사람을 다루는 능력이 탁월하며 과감한 판단과 변화에 대처하는 능력이 좋아 리더의 자질이 대단할 것입니다.

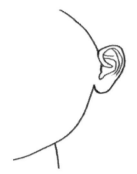

높은 귀 관상

기본적으로 귀가 눈썹보다 높으면 부귀합니다. 머리가 좋고 건강을 타고나 활력이 넘칩니다. 기회를 잡는 능력이 좋아 자수성가하는 사람이 많습니다. 어떤 시련이 온다 해도 흔들림 없이 자신의 길을 가기 때문에 늦은 나이에라도 성공하는 경우가 많습니다. 신뢰를 중요시해 평판이 좋아 주위에 사람들이 많습니다. 두뇌 회전이 빨라 사업이나 투자로 잘 벌고 잘 모으기 때문에 남부럽지 않은 안정적인 삶을 살아가게 될 확률이 높습니다.

이런 외모를 가진 직장 상사는 주위 사람들을 따뜻하게 잘 챙기고 눈치가 빠릅니다. 부하 직원을 휘어잡는 리더십은 부족하지만, 윗사람에게 사랑받아 승진이나 출세가 꽤 빠른 편입니다. 상대가 어려움에 처해 있다면 그냥 지나치지 못하는 좋은 사람입니다. 큰 실수만 하지 않는다면 언제나 당신의 좋은 스승이 되어줄 것입니다.

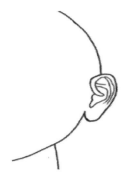

낮은 귀 관상

　내성적이고 이성적인 성격이 많습니다. 과시하는 걸 싫어하며 욕심이 없는 현실적인 삶을 살고자 합니다. 조용하고 매사에 신중합니다. 올곧은 성격을 가지고 있어 선을 넘거나 아니다 싶은 것은 윗사람이라 해도 대드는 모습을 보여주기도 합니다. 어떤 사소한 일이라도 철저하게 준비하는 것을 좋아하고 자신을 통제하는 완벽주의 성향이 있어 실수를 용납하지 않으려 합니다. 노력과 비교하면 늘 결과가 아쉽고 기회를 놓치는 경우가 많아 성공하기 위해 남들보다 큰 노력이 필요합니다.

　이런 외모를 가진 직장 상사는 소통 능력이 약간 떨어지고 예민해 함께 일하기에 쉬운 타입의 사람은 아니지만, 리더십도 있고 사람은 잘 챙깁니다. 가장 큰 장점은 자신의 부족한 부분을 잘 알아 묵묵하게 배우고 노력합니다. 배울 점이 많은 직장 상사이지만, 약간의 질투심이 있으니 특출나게 잘하거나 똑똑한 척은 금물입니다. 직장 상사의 눈에 거슬리지 않는 선에서 활약하시는 게 좋습니다.

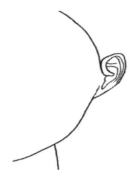

귓불이 붙어 날카롭게 생긴 귀 관상(칼귀)

귓불에 살이 없어 턱으로 바로 붙듯이 연결되어 내려와 날카로워 보이는 귓불을 일명 칼귀라 부릅니다. 이런 귀를 가진 사람은 냉정해 보일 만큼 무언가를 결정할 때 이성적입니다. 공과 사가 분명하고 정에 흔들리지 않아 정 없다는 소리를 듣기도 합니다. 재물복이나 인복이 약해 노력의 결과는 늘 아쉽지만, 끈기 있게 부단한 노력으로 자신을 발전시켜 가는 타입입니다. 모든 일에 계산적이며 손해를 보는 것을 극도로 싫어하며 추진력과 직관력이 좋아 기회를 잡는 능력 또한 탁월해 재물복이 좋습니다. 이기적인 구석이 있어 배려와 베푸는 것에 인색할 순 있으나 악한 사람은 아닙니다.

이런 외모를 가진 직장 상사는 업무능력이 정말 탁월합니다. 아마 회사에서 에이스일 확률이 높습니다. 회사 내에서 리더십을 바탕으로 한 동료와의 조직력이 대단해 감히 함부로 할 수 없는 사람일 것입니다. 자신에게 도움이 안 될 사람이나 업무 능력이 떨어지는 사람은 칼같이 쳐내는 스타일이라서 부하 직원들 사이에서의 평판이 안 좋을 순 있으나, 판단력과 직관력에서 나오는 처세술이나 업무적인 센스는 옆에서 배우시길 바랍니다. 문제는 예민하고 냉정해 비위 맞추기는 쉽지 않을 수 있습니다.

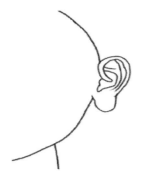

귓불이 늘어진 귀 관상

부처님 귀처럼 과장되게 늘어진 귀가 아닌 귓불에 살이 두툼하고 살짝 처진 귓불을 보통 부처님 귀라 부릅니다. 귓불은 축 처진 것보다는 귓불의 끝이 입 쪽을 향해야 더욱 부귀합니다. 이런 귀는 인복과 재물복이 좋아 살아가는 데 큰 어려움 없이 살아간다고 합니다. 관대하고 자애로운 사람이 많아 남을 잘 돕는데, 이것이 장점이자 단점이기도 합니다. 사람을 좋아하고 정에 약해 곤욕을 치르는 경우가 종종 있습니다. 인기가 많아 주위에 사람들이 항상 많습니다. 느긋하고 낙천적이라 큰 욕심이 없어 성공보다는 자신의 행복과 안정을 추구합니다.

이런 외모를 가진 직장 상사는 흔치 않습니다. 회사에서의 영향력이 대단할 것입니다. 기본적으로 지혜롭고 매너가 좋습니다. 이해심이 태평양과 같아 부하 직원들을 너무 편하게 해 줄 것입니다. 업무적으로도 큰 도움을 줄 것이며 어떤 잘못을 하더라도 이해해 주며 넘어갈 것이니 마음 편히 직장 생활을 하시면 될 거 같습니다.

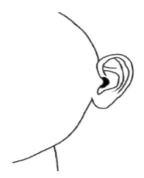

귓구멍 큰 관상

배짱이 좋고 시원시원한 성격이 많습니다. 작은 소리에 귀 기울이고 사람들을 잘 챙겨 대인관계가 좋습니다. 총명하고 재치와 순발력이 뛰어나 도전을 두려워하지 않으며 모든 일에 열정적이라서 자신의 노력으로 자수성가해 성공하는 사람들이 많습니다.

이런 외모를 가진 직장 상사는 부드러운 카리스마의 소유자입니다. 뛰어난 재치를 활용해 농담을 던지며 상대를 편하게 해주며 내 일이 아닌데도 적극적으로 나서서 챙겨주는 그런 사람입니다. 그냥 마음 가는 대로 움직이는 계산적이지 않은 사람이라 회사 내에서 평판이 좋고 사람들이 잘 따를 것입니다.

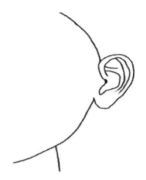

귓구멍 작은 관상

소심하고 겁이 많습니다. 답답할 만큼 눈치와 융통성이 없어 크고 작은 문제들을 스스로 만들어 고통받습니다. 계산적인 이기주의자가 많습니다. 무슨 일이든 계산부터 하다 보니 남에게 인색합니다. 머리가 좋아 공부는 곧잘 하지만 생각이 짧아 당장 앞날만 보고 경솔한 판단이나 어리석은 행동을 저질러 기회가 와도 놓치는 경우가 많습니다.

이런 외모를 가진 직장 상사는 남에게 인색해 자판기 커피 한잔 사주는 일이 없을 것입니다. 업무 또한 얌체처럼 하다 보니 동료에게 얄미운 짓을 많이 합니다. 말 못 하는 부하 직원은 속앓이를 많이 할 수 있습니다. 또한, 자신에게 도움이 될 만한 사람이 아니라면 냉대하며 달가워하지 않기 때문에 신입 시절 업무를 배우기에 고달플 수 있겠습니다. 신입 시절에는 간이고 쓸개고 다 준다는 생각으로 잘 보여서 최대한 빨리 업무를 배운 후 멀리하시는 게 좋습니다.

제18장 수염, 털

머리뿐만 아니라 체모는 사람마다 자라는 곳 체모 숱, 색깔, 굵기까지 제각각 다릅니다. 몸 전체에서 자라나는 체모의 생김새를 통해서도 그 사람의 성격, 재물운, 말년운, 출세운 등을 점칩니다. 체모 숱이 너무 많아도 너무 없어도 흉하며 두껍고 거친 것보단 가늘고 부드러운 체모를 귀하게 봅니다.

여성이 수염이 진한 관상

외향적이고 행동력이 좋은 화끈한 성격이 많습니다. 남들 앞에 나서는 걸 두려워하지 않고 욕망이 강해 사회생활을 하기 좋은 체질입니다. 타고난 능력과 함께 부하복까지 좋아 사회적으로 인정받아 출세하기도 하지만, 결혼운이 좋지 못해 집안을 먹여 살리는 가장 노릇을 하거나 가족 간의 갈등으로 일생이 고독할 수 있습니다.

이런 외모를 가진 직장 상사는 여성임에도 남성성이 도드라집니다. 강한 승부욕을 가지고 있다든지 욱하는 성격과 황소고집의 소유자가 많습니다. 성격은 까칠하지만, 업무능력 하나만큼은 탁월하고 책임감이 강해 믿고 따르는 게 좋습니다. 단 공과 사는 철저하게 구분하는 게 좋습니다. 강한 욕망을 품고 있는데 욕망 중 성적 욕망이 문제를 만드는 경우가 많습니다. 잘못 엮였다. 곤욕을 치르는 경우가 있습니다. 직장 상사가 호감을 내비쳐도 피하시기를 추천해 드립니다.

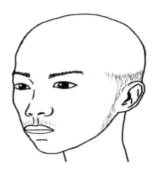

숱이 적고 연한 수염 관상

　머리 쓰는 일에 탁월하지만, 체력이 약한 편에 속합니다. 온화하고 얌전한 성격의 소유자로 합리적인 것을 좋아합니다. 성격상 공무원이나 전문직에 특화되어 있으며 지나치게 신중하고 원칙주의적인 태도 때문에 좋은 기회가 오더라도 주저하다 놓치고 뒤늦게 후회하는 경우가 많습니다.

　이런 외모를 가진 직장 상사는 섬세하고 배려도 잘해주기 때문에 부하 직원이 불편하지 않게 회사 생활을 도울 것입니다. 간혹 쓸데없는 고집이나 융통성 없는 모습을 보여줘 속 터지는 행동을 할 수도 있으나 대쪽 같은 원칙적인 사람이니 그 행동에 의문이나 불만을 품지 않는 게 좋습니다.

숱이 많은 진한 수염 관상

대담하고 행동력이 좋으며 체력을 타고났습니다. 고집이 세고 남의 말을 잘 듣지 않습니다. 수염이 부드러우면 성격이 부드럽지만, 굵고 뻣뻣하다면 욕심이 많고 어리석다고 합니다. 무계획하게 자신의 타고난 감이나 본능에 의지해 살아가다 보니 대형 사고를 잘 칩니다. 활력이 넘쳐 목표한 일은 반드시 성취하며, 일 처리 능력 또한 뛰어나 자기 능력을 인정받고 재산도 잘 모으는 편입니다. 문제는 부족한 참을성과 충동성 거기에 쾌락적인 걸 좋아하다 보니 어떤 문제를 만들어 자신의 평탄한 인생을 꼬는 일들을 많이 만듭니다.

이런 외모를 가진 직장 상사는 회사 내에서 문제아일 확률이 높습니다. 제멋대로 행동하고 통제가 힘들어 윗사람이건 아랫사람이건 피곤하게 할 수 있지만, 사람은 거칠지만, 생각보다 단순해 비위만 잘 맞춰준다면 그리 나쁜 직장 상사는 아닙니다. 그럼요 당연하죠, 맞습니다만 해주면 좋아합니다.

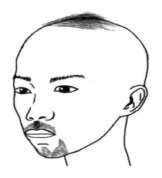

인중에 수염이 많은 관상

쉽게 다가가기 힘든 타입의 사람으로 남성성이 엄청날 수 있습니다. 이상이 크고 신념이 강해 말이 안 통하는 고집불통이지만 어떤 분야에서든 두각을 드러내어 출세하기 쉽습니다. 재물복, 인복도 좋아 살아가며 어떠한 시련이 들이닥친다고 하더라도 보란 듯이 재기하는 모습을 보여줍니다.

이런 외모를 가진 직장 상사는 약간 고집불통에 외골수 같지만, 리더로서 자질을 타고났습니다. 팀원 내 동료가 뒤처지는 꼴을 못 봅니다. 주위 사람들을 잘 챙기면서 스파르타식 혹독한 업무 진행으로 부하 직원은 죽어 나갈 것입니다. 일에 적응하는 힘든 시기만 잘 버틴다면 더 이상의 고통은 없을 것입니다. 나름대로 유능하고 믿음직한 직장 상사라 할 수 있습니다.

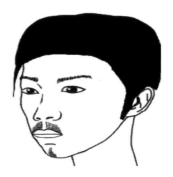

인중에 수염이 없는 관상

철저한 개인주의자가 많고 남을 돕지도 도움받는 것도 달가워하지 않습니다. 이기적인 것은 아니지만, 내성적이고 소심해 타인에게 냉소적 태도를 유지하려는 것입니다. 소극적인 태도 때문에 인간관계가 부정적이며 인복이 부족해 오직 자신의 노력으로 성공해야 할지 모릅니다. 문제는 하는 일마다 잘 풀리지 않고 많은 시련이 찾아올 수 있습니다. 언제나 배려하고 받은 만큼 베풀어야 합니다.

이런 외모를 가진 직장 상사는 성격이 매우 까다롭고 배려심이 부족하여 차갑고 냉정하게 보일 수 있습니다. 폐쇄적인 사람처럼 보일 만큼 개인주의 성향에 철저한 능력 위주로 사람들을 가리기 때문에 능력 있는 동료만이 옆에 있을 확률이 높습니다. 부하 직원이 맡은 일 처리만 잘하면 일절 터치하지 않는 방목형 타입이지만, 상황이나 성향의 차이에 따라서는 함께 일하기 불편하거나 고달플 수 있겠습니다.

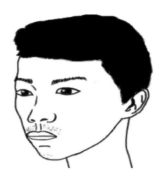

듬성듬성 난 수염 관상

섬세하고 예민하며 폐쇄적인 성향이 있습니다. 책임감이 부족하고 사람 자체가 가볍습니다. 의지가 약하고 심약해 주도적으로 무언가를 하지 못하며, 누군가에게 의지하려는 특성이 있어 이성에게 호되게 당하거나 사기꾼의 먹잇감이 되어 재산을 모두 잃게 되는 경우가 많습니다. 재물운이나 말년운은 나쁘진 않으나 자식복이 약해 고독한 말년을 보낼 수 있습니다.

이런 외모를 가진 직장 상사는 성격이 좋아 상대를 편하게 해줄 것입니다. 책임감이나 결단력은 부족하지만, 센스가 좋고 유연해 사람을 다루는 데 능숙하다 보니 일 하나는 똑소리 나게 잘할 것입니다. 한번 마음을 열면 간이고 쓸개고 빼서 줄 만큼 자기 자신보다 헌신적으로 챙겨주는 타입입니다. 초반에 직장 상사에게 좋은 인상을 심어주고 잘 보이는 게 좋습니다.

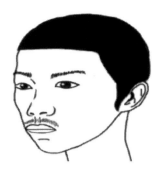

콧수염만 자라고 턱수염이 없는 관상

　선하고 부드러운 성격이 많습니다. 문제는 남성성이 부족합니다. 말이 가볍고 부탁을 쉽게 거절하지 못해 곤욕을 치르기 일수이며 자신감이 없어 기회를 놓치고 후회하는 경우가 많습니다. 자신의 노력으로 중년까지는 승승장구하며 남부럽지 않게 살아갈 수 있지만, 중년이 넘어가면서 운세가 점점 하락해 말년에 고독함과 경제적인 어려움으로 고생할 수 있습니다.

　이런 외모를 가진 직장 상사는 책임감과 자신감 부족으로 리더십은 아쉬우나 사람이 선하고 착해 부하 직원을 편하게 해줄 것입니다. 문제는 소심해 잘 삐치고 까탈스럽습니다. 운의 기복이 심하여 가까이 지냈다가 패키지로 같이 나락으로 갈 수 있으니 항상 경계해야 합니다.

콧수염은 없고 턱수염만 자라는 관상

이기적인 사람이 많아 대인관계뿐만 아니라 가족관계 역시 좋지 못합니다. 남부럽지 않은 좋은 직장을 다니거나 사업이 잘 풀려, 잘 나가는 것처럼 보여도 빛 좋은 개살구와 같습니다. 고생해 돈을 벌어 남 좋은 일만 하거나 금전적인 어려움이 생겨 재산이 모두 흩어져 버립니다. 성공에 대한 욕심도 있고 재능 역시 따라 주지만 이상하게 일이 안 풀려 중년부터 고생을 크게 하다가 말년에 되어야 운이 좀 풀리게 됩니다. 턱수염이 너무 거칠고 두껍다면 말년에 외로움과 가난함을 피하긴 어렵습니다.

이런 외모를 가진 직장 상사는 운이 없어 하는 일마다 꼬이고 성격도 그렇게 좋은 편은 아니지만 지켜볼 가치가 있는 사람입니다. 시작은 미약하나 그 끝은 창대할 것입니다. 어려울 때 옆에서 열심히 보필한다면 언젠가 보상받을 기회가 올지도 모릅니다.

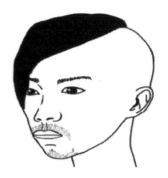

붉은빛이 도는 갈색 수염 관상

40세 이전에 수염의 색이 붉은빛이 돌거나 하얗게 변했다면 흉하다 봅니다. 감정의 기복이 심해 종잡을 수 없고 짜증과 화를 잘 냅니다. 머리가 좋고 재주가 뛰어나 꾸준하고 부지런한 사람들이 많지만, 인생이 굴곡이 많고 재물운이 약하여 경제적인 어려움이 늘 따를 수 있습니다. 가족운이 약해 말년에 고달플 수 있습니다.

이런 외모를 가진 직장 상사는 공감 능력이 뛰어나 상대의 기분을 잘 맞춰주지만 발작하듯 반응하는 발작 버튼이 존재해 갑자기 버럭 화를 낼 수 있습니다. 그 때문에 직장 상사의 기분 상태를 늘 점검해야 합니다. 회사에서 능력도 있고 열심히 일해 평판이 좋지만, 경쟁에서 밀리거나 맡은 일이 꼬이는 등 이상하게 잘 풀리지 않는 특이점이 있습니다. 부하 직원 처지에서는 업무를 배우기가 좋아 꽤 괜찮은 직장 상사입니다.

온몸에 털이 많은 관상

흡사 유인원처럼 온몸에 털이 많은 사람을 보았을 것입니다. 약간 위협적으로 보이는 외모와는 달리 이런 사람들은 독립적이고 용맹합니다. 성격이 호탕하지만 섬세합니다. 신체 능력이 뛰어나고 건강을 타고나 공부보다는 운동이나 예체능 계열이 적합합니다. 책임감이 강하고 생활력은 좋으나 배우자 복이 약한 게 흠입니다. 사회생활은 성공을 이룰 수는 있겠으나 화목한 가정을 꾸리는 데는 어려움이 있을 수 있습니다. 몸에 털이 두껍고 거칠다면 폭력적인 극단적인 성격일 수 있습니다. 부드럽고 가느다란 털을 귀하게 봅니다.

이런 외모를 가진 직장 상사는 밝고 부드러운 성격의 소유자로, 유머 감각이 좋아 동료를 늘 즐겁게 해줍니다. 함께 일하기에는 아주 좋으나 활동적이고 활력이 넘치는 스포츠맨이거나 술고래일 확률이 매우 높아 새벽에 술자리로 나오라 전화하거나 주말마다 운동이나 등산을 함께 가자고 권하며 난처하게 할 수 있습니다. 외향적 활동적인 성향의 사람과 잘 맞는 직장 상사일 것입니다.

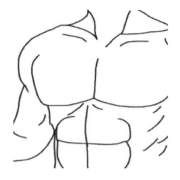

온몸에 털이 없는 관상

내성적이고 섬세한 성격이 많습니다. 타고나길 체력적인 부분이 약하지만, 이성을 엄청나게 밝히는 음탕한 사람이 많습니다. 주위 사람보다는 본인부터 챙기는 이기적인 성향이 강해 애정운이 좋지 못할 수 있습니다. 누군가에게 의지하려는 성향이 강하며 추진력이 부족해 출세하기가 쉽지 않습니다. 직장을 자주 옮기거나 실패가 잦아 경제적인 어려움의 연속으로 불안정한 노년을 보낼 확률이 높습니다.

이런 외모를 가진 직장 상사는 첫인상이 얌전하고 순해 보여 만만하게 보일 수 있으나, 냉정하고 이성적인 사람이라 잘못 걸리면 크게 데일 수 있습니다. 또한, 이성에게 집착이 강하니 사적인 만남이나 연락은 피하는 게 좋습니다.

귀에 털이 있는 관상

　머리가 좋고 학구열이 대단해 지적 수준이 높습니다. 넓은 시야를 가지고 있어 자기 경험과 능력을 바탕으로 사업하기에 적합합니다. 마음이 강직하여 큰 어려움이 닥쳤을 때도 냉정함을 잃지 않는 모습을 보여줍니다. 활력이 넘치고 체력이 좋아 장수하는 관상으로 여겨집니다. 40세 중반 이후에 생긴 귀털은 귀하다 여겨지지만 40세 이전에 생긴 귀털은 신변에 부정적인 변화가 생김을 암시하기도 합니다. 40세 이후 생긴 귀털이라 해도 털의 숱이 빽빽하게 너무 많아도 흉하다 해석됩니다.

　이런 외모를 가진 직장 상사는 부지런하고 의욕이 넘쳐서 회사에서 일 잘하는 유능한 사람일 확률이 높습니다. 성격도 차분하여 함께 일하기 좋은 직장 상사입니다. 특별한 문제가 없다면 오래도록 회사에 살아남을 직장 상사이니만큼 원만한 관계를 유지하는 것이 좋겠습니다. 회사에서 노인정까지 함께 할 동반자입니다.

가슴 털이 많은 관상

　다이아몬드형, 둥근형같이 가슴 털이 자란 형태에 따라서 관상의 해석이 달라집니다. 공통으로 가슴 털을 가진 사람들은 열정적이고 개방적인 성격이 많습니다. 조심성이 없고 사람을 대하는 기술이 부족할 수 있습니다. 고집이 세고 한번 폭발하면 난폭한 면이 있어 사람들과 충돌이 잦습니다. 무언가를 마음먹으면 반드시 해내려는 의지가 강해 결과가 좋은 편입니다. 이 때문에 남들보다 젊은 나이에 출세하기도 합니다. 단점은 성적 욕구가 매우 강해 이성에게 관심이 지나칠 정도로 많습니다. 극단적이면 이성 문제로 인생이 무너지기도 합니다.

　이런 외모를 가진 직장 상사는 업무에 매우 진심인 편으로 광기에 가까운 열정으로 업무에 임할 것입니다. 부하 직원으로서는 함께 일하기 버거울 수 있겠지만, 적응하기까지의 시련만 잘 버텨 낸다면 좋은 결과가 기다리고 있을지 모릅니다. 업무적으로는 상당히 뛰어나, 팀으로 일하기에 이만한 리더가 없습니다.

등에 털이 많이 난 관상

충동적이고 폭력적인 성격이 많습니다. 신중함이 제로에 가깝습니다. 감정적이고 생각이 짧아서 해서는 안 될 말을 내뱉거나 행동하여 사건·사고를 잘 만듭니다. 이성에게 인기가 없고 이성 상대가 있다고 해도 싸움이 잦아, 오랜 기간 유지하기가 어렵습니다. 거친 성품 때문에 평생 고생스러운 인생을 살아갈 확률이 높습니다. 또한, 등에 털이 헝클어지고 불규칙하다면 더욱 흉하게 보는데 삶이 혼란스럽고 불안정하다 봅니다.

이런 외모를 가진 직장 상사는 왜 항상 화가 나 있나 싶을 정도로 성격이 매우 거칠고 동료와의 트러블이 잦은 편이지만, 업무에 임하는 열정이나 책임감만큼은 남달라서 직장 내에서는 나름대로 인정받고 있을 것입니다. 최대한 심기를 건드리지 않으며 업무적인 부분은 옆에서 지켜보며 배우는 게 좋습니다.

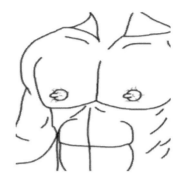

젖꼭지에 털이 적당하게 난 관상

젖꼭지에 털이 한 가닥만 자란다면 경제적인 어려움이나 고독하고 험난한 삶을 산다고 하여 흉하다 해석됩니다. 젖꼭지에 부드러운 털이 두세 가닥만 있는 것이 귀합니다. 머리가 좋고 차분하며 이성적인 성격이라서 인간관계가 좋습니다. 타인과의 경쟁이나 마찰보다는 화합과 공존을 중요시하며, 배우자와 자식복이 좋고 재물복 역시 좋아 귀한 상으로 점칩니다. 젖꼭지에 털이 한 가닥이 아니라면 뽑지 마세요.

이런 외모를 가진 직장 상사는 성격이 차분하고 까다롭지 않아 상대를 편하게 해줄 것입니다. 업무능력이 뛰어나 직장 내에서 인기도 좋고 신입 직원 잘 챙겨주는 사람이니 곁에 있는 게 좋습니다. 옆에 있으면 반드시 득이 될 직장 상사입니다.

젖꼭지에 털이 너무 많이 난 관상

　젖꼭지에 털이 많아 젖꼭지가 보이지 않을 정도라면 성격이 급하고 공감 능력이 떨어져 인간관계가 좋지 않습니다. 특히 가까운 사람들과의 마찰이 잦아 고독합니다. 거칠고 생각이 없어 보이지만 뜻밖에 치밀한 구석이 있어 주위 사람들을 깜짝 놀라게 하는 경우가 있습니다. 직업운이 약하며 자식복이 없어 외로울 수 있습니다.

　이런 외모를 가진 직장 상사는 악한 사람은 아니지만, 누구와도 잘 지내기가 어려운 성격의 소유자라서 같은 공간에서 업무를 해야 하는 특히 업무를 배우며 일해야 하는 부하 직원에게는 직장이 지옥과 같을 것입니다. 다행인 것은 생각보다 단순하고 순수해 비위를 맞추는 게 그렇게 어렵지 않을 것입니다. 경험이 쌓일 때까지는 버텨야 합니다.

팔에 솜털이 많은 관상

　털이 많다는 것은 몸에 남성 호르몬이 많다고 보시면 될 거 같습니다. 만약 여성이 팔에 털이 많다면 남성적이라 해석하시면 될 거 같습니다. 리더십이 좋고 포용력과 이해심이 많습니다. 팔에 털이 너무 새까맣게 많다면 과격하고 거칠지만, 뜻밖에 정도 많고 눈물도 많습니다. 여성보다는 남성이 좋다 보며 여성이 팔에 털이 많다면 배우자 복이 약해 집안을 먹여 살리는 가장이거나 비교적 어린 나이에 사회 활동을 하게 될 확률이 높습니다. 남성은 대인관계와 배우자 복이 좋습니다. 끈기와 성실함을 무기로 사회에서 인정받고 화목한 가정까지 꾸리며 안정적인 삶을 살게 됩니다.

　이런 외모를 가진 직장 상사는 휠지언정 부러지지 않는다는 말처럼 무서운 근성을 가지고 있는 불굴의 직장인입니다. 약간 거칠지만 일 하나는 정말 잘하니 믿고 따라도 좋은 리더 중의 리더입니다. 업무적으로나, 사적으로나 가까이하면 장기적으로 득이 될 사람입니다.

겨드랑이에 털이 거칠고 빽빽하게 많은 관상

신체 능력이 뛰어난 남성적인 성격이 강합니다. 책임감이 강해 사회생활을 잘하는 능력자가 많습니다. 문제는 근본 없는 자신감이 과도하게 넘치다 보니 겸손이 부족해 보이기도 합니다. 고집이 세고 강한 승부욕의 소유자로 항상 지르고 보는 타입으로 신중함이 부족해 문제를 만들어 자기 무덤을 파는 어리석은 짓을 잘합니다. 겨드랑이털은 부드럽고 가늘며 숱이 적당해야 귀하다 봅니다.

이런 외모를 가진 직장 상사와 함께 일한다면 유쾌하고 즐거운 회사 생활이 보장됩니다. 남들을 잘 챙기고 호탕하여 좋은 직장 상사에 가깝지만, 덜렁대는 성격 때문에 사고를 치는 일이 잦아 사람 자체가 허술해 보이기도 합니다. 다만 자기 실속은 확실히 챙기는 타입이니 가깝고도 먼 관계를 유지하는 게 좋습니다. 방심은 금물입니다.

겨드랑이털이 없는 관상

　겨드랑이에 털이 없는 여성보다 남성을 더 흉하다 해석합니다. 예민하고 까다로운 성격이 많으며 남녀 모두 건강운이 약할 수 있습니다. 인기도 많고 인간관계 역시 나쁘지 않으나 이성의 유혹에 쉽게 무너지는 바람둥이가 많습니다. 이 때문에 연애나 결혼생활이 순탄치 않을 수 있습니다. 생각과 걱정이 많아 심적인 고통을 자주 받을 수 있습니다. 특히 말년운이 약할 수 있겠습니다. 과거와는 달리 겨드랑이털 제모가 특별할 게 없어진 시대입니다. 현대적인 해석으로는 매력 있고 이성에게 인기 있는 개방적인 사람의 관상이라고 보시면 좋을 거 같습니다.

　이런 외모를 가진 직장 상사는 우유부단하고 책임감이 부족해 회사 내에서 입지가 좁을 것입니다. 당장 자기 앞가림도 쉽지 않은 경우가 많을 테니 눈치껏 행동하는 게 좋습니다. 괜히 옆에서 부담을 주었다 찍힐 수 있습니다. 쾌락적인 성향이 강해 이성 문제로 항상 시끄러워 옆에 있다. 피해를 보기 십상이니 공과 사를 철저하게 구분하며 거리를 유지하는 것이 좋겠습니다.

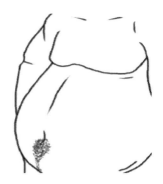

배꼽에 난 털

일명 배렛나루라고 불리는 이 털이 있으면 양기가 강해 연애운이 좋습니다. 배우자 복이 있고 노력한 만큼 성과가 따르다 보니 평생 먹고사는 데 걱정이 없다고 합니다. 면역력이 강해 질병에 내성이 있다고 할 만큼 건강하고 장수한다고 해석됩니다. 단점이라면 넘치는 에너지 때문인지 성욕 또한 굉장한데 음흉한 구석이 있어 그릇된 성욕을 가지고 있을 확률이 높습니다.

이런 외모를 가진 직장 상사는 활력도 넘치고 일을 잘해 회사에 없어서는 안 될 능력자일 확률이 높습니다. 문제는 음흉하고 변태적인 성격의 소유자일 수 있습니다. 흑심을 품기 전에 정색과 철벽을 치며 빈틈을 보이지 않는 게 좋겠습니다. 특징이라면 절대 속내를 드러내지 않는 타입이라서 무슨 생각을 하고 있는지 파악하는 게 어려운 사람입니다. 항상 경계를 늦추지 않는 게 좋습니다.

항문에 난 털

　남성은 항문에 털이 없는 것보다는 있는 게 좋으나 여성이 항문에 털이 있다면 성격이 거칠고 결혼운이 좋지 못하다 봅니다. 항문에 털이 있으면 면역력이 강해 건강합니다. 활력이 넘치고 다재다능하다는 특징이 있습니다. 호전적인 성향이 강해 가끔 과격한 모습을 보이며 사람들과의 마찰을 빚기도 합니다. 장기적으로 보면 삶이 평안하고 다복해 말년에 좋습니다.

　이런 외모를 가진 직장 상사는 능력 있고 믿음직스러워서 회사 내에서 평판이 꽤 좋을 것입니다. 활력이 넘쳐 무슨 일이든 열정적으로 나서서 이끌어 줄 것이니 믿고 따르시면 됩니다.

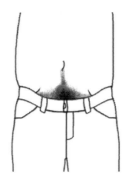

음모가 수북한 관상

음모가 많으면 복 있고 고귀하다 봅니다. 우선 털이 부드럽고 숱이 적당해야 귀합니다. 이런 사람은 의리도 있고 배려심 깊습니다. 매력이 있어 이성에게 인기가 많고 이성에게 관심도 많습니다. 체력이 엄청나게 좋아 몸 쓰는 일에 특화되어 있습니다. 고집도 세고 거친 면을 가지고 있어 주변 사람들과의 마찰이 잦을 수 있습니다. 음모가 굵거나 지나치게 곱슬곱슬해도 흉합니다. 심하게 곱슬곱슬하고 거칠다면 비열하고 복수심이 강하여 행동거지가 바르지 못해 망신을 잘 당한다고 해석됩니다.

이런 외모를 가진 직장 상사는 무슨 일이든 열정적으로 임하는 일꾼입니다. 성격이 거칠지만 섬세해 주위 사람들을 잘 챙겨줍니다. 문제는 사생활입니다. 이성 문제가 끊이질 않아 괜히 옆에 있다 불똥이 튈 수 있으니 사적인 만남이나 연락은 피하고 회사 내에서만 친분을 유지하는 것이 좋겠습니다.

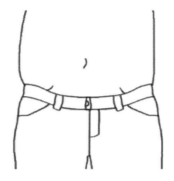

음모가 없는 관상

여성보다 남성을 더 흉하다 봅니다. 성격이 소심하고 소극적이라 운이 트이지 않아 출세하기 쉽지 않을 수 있습니다. 배우자복이나 자식복 또한 약합니다. 특이점이 존재하는데 음모가 없는 남녀가 우연히 만나면 행운이 찾아온다고 전해지지만, 상대 중 한 명의 음모가 희박하다면 매우 불길한 일이 생기게 된다고 전해집니다. 건강운이 약해 체력적으로 좋지 않고, 문란한 사생활 때문에 인생이 꼬일 수 있습니다. 제모가 대중화된 요즘 같은 시대에는 동떨어진 해석으로 보입니다. 현대적인 해석으로는 개방적이고 외향적이라고 보시면 될 거 같습니다.

이런 외모를 가진 직장 상사는 자기 딴에는 열심히 노력하지만, 이상하게 운이 없어 일이 잘 풀리지 않을 수 있습니다. 가장 큰 문제는 사생활입니다. 쾌락적인 것을 좋아하는데 그중 특히 욕정이 강해 가까이하지 않는 게 좋습니다. 옆에 있다가 괜한 사건에 휘말릴 수 있습니다.

다리털이 수북한 관상

다리에 털이 많으면 배우자와 자식복이 좋아 노년에 복이 있다고 여겨져 귀하지만, 다리털 숱이 너무 많거나 억세다면 흉합니다. 다리털의 숱이 적당하면서 부드럽다면 귀하게 봅니다. 체력이 좋고 용감합니다. 성격이 유순하면서 유머 감각이 좋아 인기가 많습니다. 인복이 있고 말년까지 평탄한 삶을 살아갈 확률이 높습니다. 성실하고 부지런해 자수성가하기 좋습니다. 여성이 다리털이 많으면 약간 부정적으로 봅니다. 성격이 매우 거칠고 충동적입니다. 건강에 문제가 있을 확률이 높으며 살아가며 많은 시련이 찾아와 심적으로나, 육체적으로 고생할 수 있습니다. 배우자복 또한 약할 수 있다고 해석합니다.

이런 외모를 가진 직장 상사는 성격이 좋아 상대를 편하게 대해주고 쓸데없는 스트레스를 주진 않을 겁니다. 끈기와 인내심이 좋아 몸 쓰는 일에 특화되어 있으며 꾸준하게 자신을 발전시키는 힘이 있습니다. 업무적으로 뛰어나 배울 점이 많은 좋은 직장 상사입니다.

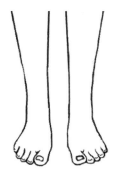

다리털이 없는 관상

여성이 다리털이 없다면 무난하고 귀하지만, 남성이 다리털이 없다면 부정적으로 해석합니다. 남성 기준 성격이 예민하고 남성적인 특징이 부족하다 해석합니다. 매사에 소극적이며 조심성은 많고 신중합니다. 감정적인 사람이라 가끔 충동적인 기질을 보입니다. 이 때문에 출세하기가 쉽지 않고 직장을 자주 옮겨 다녀, 오랜 기간 한곳에 정착하지 못하는 경우가 많습니다. 심하면 허송세월만 보내다 후회만 남는 인생을 살아갈 수 있습니다. 인내하고 노력하는 자세가 필요합니다. 성격상 이성과는 꽤 잘 맞지만, 결혼운이 좋지 않고 자식복 또한 약해 노년이 고달플 수 있습니다.

이런 외모를 가진 직장 상사는 부드럽고 온화한 성격의 소유자가 많습니다. 공감 능력이 좋고 배려할 줄 알아서 평판도 좋고 직장 동료와 잘 지냅니다. 문제는 몹시 예민하고 까다로워 함께 일하기에 난이도가 있는 직장 상사라는 것입니다. 업무적으로는 긴장하는 게 좋습니다.

마무리 말

관상이라는 것이 아주 먼 옛날부터 이어져 내려오다 보니 낯선 단어들도 많고, 해석 역시 받아들이기에 어려운 부분이 많습니다. 관상에 흥미를 느꼈다 하더라도 한자와 어려운 풀이 때문에 배우기에 접근성이 나쁜 것이 분명히 있습니다. 이런 문제를 해결하고자 어려운 부분이나 과거의 딱딱한 해석을 현대적으로 풀이해 글을 써보았습니다. 특히, 가족보다 더 많이 보게 되는 직장 상사를 관상에 접목시켜 책의 실용성을 높여보고자 했습니다. 독자분들께서 쉽고 재미있게 읽으셨으면 하는 바람입니다.

이 세상에 최악의 관상이나 최고의 관상이란 존재하지 않습니다. 항상 긍정적인 사고방식으로 많이 웃으신다면 누구나 좋은 관상이 될 수 있으리라 봅니다

관상이라는 것을 너무 진지하게 받아들이기보다는 재미로만 참고하시길 당부드립니다.

직장상사 관상 훔쳐보기

발 행 | 2024년 7월 2일
저 자 | 찹쌀떡
펴낸이 | 한건희
펴낸곳 | 주식회사 부크크
출판사등록 | 2014.07.15.(제2014-16호)
주 소 | 서울 금천구 가산디지털1로 119, SK트윈타워 A동 305호
전 화 | 1670 - 8316
이메일 | info@bookk.co.kr

ISBN | 979-11-410-9237-5

www.bookk.co.kr
ⓒ 찹쌀떡 2024